ONE DIRECTION

a biografia

DANNY WHITE

ONE DIRECTION

a biografia

Tradução

Joana Faro

11ª edição

Rio de Janeiro | 2016

CIP-BRASIL. CATALOGAÇÃO NA FONTE
SINDICATO NACIONAL DOS EDITORES DE LIVROS, RJ.

W585o
11ª ed.

White, Danny
One Direction: a biografia / Danny White; tradução: Joana Faro. — 11ª ed. — Rio de Janeiro: Best*Seller*, 2016.

Tradução de: One Direction
ISBN 978-85-7684-648-2

1. One Direction (Conjunto musical). 2. Músicos de rock — Inglaterra — Biografia. 3. One Direction (Conjunto musical). 4. Infantojuvenil. — Retratos. I. Título.

12-5338.

CDD: 927.824166
CDU: 929:78.067.26

Texto revisado segundo o novo Acordo Ortográfico da Língua Portuguesa.

Título original inglês
1D – THE ONE DIRECTION STORY

Publicado primeiramente na Grã-Bretanha em 2012
pela Michael O'Mara Books Limited
9 Lion Yard, Tremador Road, London SW4 7NQ

Capa: Manuela Torras | Gabinete de Artes
Editoração eletrônica: FA Studio

Impresso no Brasil

ISBN 978-85-7684-648-2

SUMÁRIO

INTRODUÇÃO

Um mês pode ser um período longo e agitado na música pop — pergunte ao One Direction. Para Liam, Louis, Niall, Harry e Zayn, por exemplo, os trinta dias de abril de 2012 foram repletos de incidentes e intrigas internacionais, de triunfos extraordinários e grande sofrimento. Apenas dois anos antes, eles eram adolescentes comuns que contavam os dias para fazer uma audição solo como aspirantes ao programa de televisão britânico *The X Factor*. Desde então, suas vidas foram tudo, menos comuns.

Em abril, eles foram convidados por Michelle Obama a visitar a Casa Branca. E então anunciaram — e venderam os ingressos em tempo recorde — uma apresentação na arena de shows mais prestigiada dos Estados Unidos, o Madison Square Garden; entraram em estúdio para gravar com o rei do pop canadense, Justin Bieber. Quando os Estados Unidos se apaixonaram pela banda, eles apareceram nos maiores programas de entretenimento da TV, como o *Today Show* e o *Saturday Night Live*. Entretanto, uma sombra foi lançada sobre o sonho dos garotos: enfrentaram o processo de uma banda estadunidense de mesmo nome. Os integrantes logo passaram a receber ameaças de morte das furiosas fãs de seus homônimos britânicos.

No decorrer de abril, a banda foi para o Hemisfério Sul. Lá, ficaram felizes ao descobrir que as garotas australianas e neozelandesas são tão dedicadas a eles quanto as americanas e as britânicas. A banda foi cercada por um exército de fãs em Sydney e, após ser confundido com um dos integrantes, um garoto sem conexão com a banda foi atacado por fãs histéricas. Com a segurança reforçada, uma fã australiana declarou que estaria disposta a se arriscar a tomar um tiro para chegar perto deles. A seguir, um pedaço de torrada, meio comido por Niall, foi a leilão. E atraiu lances de quase 100 mil libras.

Enquanto celebravam a notícia de que seu single de lançamento tinha ultrapassado a marca de 1 milhão de cópias vendidas nos Estados Unidos, cada integrante da banda supostamente embolsou 2 milhões de libras; Louis chegou à conclusão de que adoraria comprar um macaco de estimação; e como se tudo isso não fosse o bastante para um mês, eles ficaram simultaneamente lisonjeados e desanimados quando foram elogiados pela princesa do pop Rihanna e, depois, souberam que

Madonna tinha anunciado que não sabia quem eles eram. Antes que o mês terminasse, a banda também beijou alguns coalas, criando temores de que tivessem pego clamídia dos ursos que haviam urinado neles, e depois foram surfar no oceano Pacífico. Ainda houve tempo para Niall ter uma intoxicação alimentar e para dois outros integrantes saltarem de um bungee-jump de 192 metros. Depois voltaram para a Grã-Bretanha e foram recebidos como sempre: por milhares de fãs histéricas.

Não é de estranhar que o frenesi que cerca o One Direction tenha sido comparado à "Beatlemania": a popularidade da banda é simplesmente imensa, seja qual for a forma de medi-la. Eles são o primeiro grupo pop do Reino Unido a estrear em primeiro lugar na parada americana. O mesmo disco foi diretamente para o número 1 na Grã-Bretanha e em mais 12 países. Eles têm mais de 5 milhões de seguidores no Twitter, 7,6 milhões no Facebook e, ao todo, seus vídeos foram assistidos mais de 204 milhões de vezes no YouTube. Um porta-voz do Google revelou que 3,35 milhões de pessoas digitam frases relacionadas ao One Direction no mecanismo de busca todo mês.

O One Direction é a maior boy band da Grã-Bretanha — e, talvez, do mundo. O caminho que os trouxe até aqui é fascinante e inspirador.

1 HARRY STYLES

Quando os cinco integrantes do One Direction finalmente tiverem a chance de parar de trabalhar por um segundo, tirar uma folga de verdade e começar a avaliar o sucesso que alcançaram na carreira pop até o momento, nenhum deles vai ter uma atitude mais calma e imperturbável em relação ao assunto do que Harry Styles. A personalidade cordial e despreocupada de Harry não é uma tentativa ensaiada de obter uma imagem "descolada"; ele realmente é um cara sossegado. E essa característica já foi testada: a vida o colocou em situações cruéis, mas ele lidou com todas de um jeito tranquilo e direto, raramente se preocupando por muito tempo.

Quando a mãe de Harry, Anne Cox, para e pensa na fama que seu filho alcançou e em suas muitas conquistas profissionais, acha ainda mais difícil de compreender. Para o mundo, ele pode ser o belo cantor do One

Direction, um jovem conhecido em muitos países e infinitamente debatido tanto pelas fãs quanto pela grande mídia, mas, para Anne, ele sempre será algo mais: "No fim das contas, ele é meu bebezinho, e lá está ele no palco diante de milhões de pessoas", disse ela.

O bebezinho de Anne nasceu em 1º de fevereiro de 1994. Foi o segundo filho — ela já tinha uma menina, Gemma. Anne ficou igualmente extasiada ao se tornar mãe pela segunda vez. Ela deu a seu precioso filho o nome de Harry Edward. Ninguém sabia naquela época, mas uma estrela acabava de nascer.

Seus primeiros anos foram passados em Cheshire, no noroeste da Inglaterra. É uma área com exuberante beleza rural que cerca diversas cidades e vilarejos. Holmes Chapel, um desses vilarejos, foi onde Harry passou a maior parte da infância. É um lugar confortável, com uma estrutura básica, incluindo transporte público fácil para aqueles que desejam ir à mais agitada Manchester. Cheshire em si não é uma área com uma herança artística famosa, embora os cantores de rock Ian Curtis e Tim Burgess sejam de lá. Quando fez a audição para o programa *The X Factor*, Harry descreveu a área como "bem chata — não acontece nada por lá", embora em um comentário mais elogioso tenha admitido, com um sorriso atrevido, que o local é "pitoresco". Hoje, ele é um dos filhos mais famosos de Cheshire.

Quando o bebê Harry cresceu um pouco, foi mandando para uma creche chamada Happy Days, que em português significa "Dias Felizes". Harry acha que é um nome apropriado para a instituição, pois viveu diversos momentos divertidos lá. Era um estabelecimento pequeno, de forma que ele nunca ficava sem atenção ou cuidados. Durante seus anos de creche, ele era um menino bem-comportado e interessado em seus brinquedos e participar de jogos. Harry sempre gostou de diversão, além de ser criativo: começou a demonstrar seu lado artístico em casa, durante o café da manhã, quando desenhava em sua torrada com corante alimentício antes de comê-la. Ele sempre foi encorajado a se expressar, um fator importante no desenvolvimento de qualquer artista. Com o tempo, aprendeu a fazer malabarismo e tentou aprender alguns instrumentos musicais. Sempre engraçado e divertido, estava se tornando uma espécie de "multitalentos". "Ele sempre adorou ser o centro das atenções e fazer as pessoas rirem", contou Anne à revista *Now*. "Com certeza, ele não é tímido em relação a si mesmo. Desde pequeno, fazia as pessoas sorrirem. Sempre achei que ele acabaria no palco."

Quando Harry tinha 7 anos, sua vida — que, até então, fora muito feliz e divertida — sofreu uma triste guinada quando seus pais lhe contaram que iam se divorciar. Sua primeira reação a essa devastadora notícia foi começar a chorar. Ele ama os pais, então detestou pensar que eles iam seguir caminhos separados. Com essa idade, ele provavelmente viveu um dilema emocional: era velho o bastante para compreender a dor causada pela separação, mas ainda não tinha idade suficiente para entender ou controlar a própria reação à tristeza. Crianças dessa faixa etária que enfrentam uma reviravolta como essa normalmente experimentam sentimentos de tristeza, vergonha, ressentimento, confusão e até mesmo raiva ao lidar com a situação.

Embora, em público, Harry sempre tenha dado um tom positivo a sua reação ao divórcio, a separação deve tê-lo deixado magoado e — até certo ponto — influenciou o curso de sua vida. Ele diz que se recuperou rapidamente e aprendeu a viver com a situação. Como confirmou depois, aos 7 anos ele não entendia completamente — nem *poderia* — o que estava acontecendo na cabeça de seus pais. Ocorreram muitas mudanças práticas, com as quais teve de se adaptar. Depois do divórcio, ele e a irmã se mudaram com a mãe para uma parte mais rural de Cheshire, passando a morar sobre um pub do qual Anne se tornou proprietária. Aconteceram muitas mudanças em sua vida, mas Harry conseguiu lidar com todas. Ele fez um novo amigo, um menino chamado Reg, que era um pouco mais velho do que ele, e conheceu a nova área. Um dos lugares que mais gostou de descobrir foi uma fazenda leiteira onde eram produzidos sorvetes deliciosos e que ficava a alguns quilômetros de sua casa. Ele adorava os sorvetes de lá, e a vida sempre parecia boa quando ele comia um depois de ir até a fazenda de bicicleta.

Apesar do divórcio dos pais, Harry continuou sendo um menino cheio de energia e entusiasmo. Em vez de ter um comportamento verdadeiramente ruim — Harry só se envolveu em uma briga durante os anos de escola —, ele canalizou sua energia para os estudos. Ele gostava particularmente das aulas de Inglês e de Educação Religiosa. Em Inglês, descobriu que tinha talento para se expressar no papel e, com frequência, tirava boas notas em suas redações. Como possuía uma natureza extrovertida, também gostava das aulas de teatro, e foi por causa delas que fez sua primeira aparição pública cantando. "A primeira vez que cantei de verdade foi em uma peça da escola — e a emoção que senti foi algo de que realmente gostei e quis repetir", disse ele. Essa emoção era seu amor pela performance e seu sonho por estar sob os holofotes sendo realizado. As peças das quais Harry participou incluem *O calhambeque mágico*, na qual interpretou Buzz Lightyear. Embora esse personagem, originalmente da franquia *Toy Story*, não seja um papel tradicional da história de *O calhambeque mágico*, como se tratava de uma peça da escola, algumas liberdades podiam ser tomadas. Como é aquariano, ele sempre se sentiu confortável com a experimentação, de forma que isso não foi um problema. Em outra ocasião, Harry foi o protagonista de uma peça sobre um rato chamado Barney.

Mas atuar era apenas uma parte dos talentos performáticos de Harry, que logo passou a ser encorajado a cantar. Foi o pai que primeiro despertou seu interesse pela música. Quando se tornou claro que Harry adorava cantar, seu avô lhe comprou um karaokê, e uma das primeiras músicas que Harry interpretou foi "Girl of My Best Friend", de Elvis Presley.

Foi quando frequentava a Holmes Chapel Comprehensive School, na Selkirk Drive, que Harry descobriu uma maneira empolgante de satisfazer ainda mais seu desejo de se apresentar diante de uma plateia: ele foi convidado a participar de uma banda de rock. Um de seus amigos, Will, procurava um vocalista para o grupo que estava formando. Ele pediu a Harry para ensaiar com a banda. Todos os integrantes ficaram muito contentes por ter o belo Harry como seu vocalista, e a formação da banda estava completa.

Então, só precisavam decidir um nome. Foi Harry que sugeriu o nome aleatório White Eskimo. Era uma alcunha bem estranha — que mais parecia um nome de boate ou de coquetel do que de uma banda adolescente de rock. Mesmo assim, com certeza, chamava atenção, e ninguém tinha uma ideia melhor, então aceitaram o nome. Harry tem uma mente criativa: essa não seria a última vez que ele inventaria o nome de uma banda. A White Eskimo tinha influência de bandas punk-pop, como a californiana Blink-182. Harry também é fã do Jack's Mannequin e de outros artistas relacionados. Entretanto, três de suas maiores inspirações musicais atuaram totalmente fora do gênero punk-pop durante suas carreiras icônicas: Michael Jackson, Elvis Presley e Freddie Mercury. Outras músicas que Harry adorava na infância incluem "Free Fallin", de John Mayer, e ele também tinha um fraco pelo trabalho de Michael Bublé. Cada integrante da White Eskimo tinha suas próprias influências — e juntos eles formavam uma unidade musical bastante interessante.

Logo, a banda estava se apresentando em eventos escolares — e em um casamento. A primeira música que a White Eskimo tocou ao vivo foi "Summer of '69", de Bryan Adams. Então, souberam que havia um show de talentos local para grupos, e decidiram participar. Como Harry explicou para o apresentador do *X Factor*, Dermot O'Leary: "Entramos em uma 'Batalha de Bandas' há mais ou menos um ano e meio, e ganhamos. Ganhar a Batalha das Bandas e tocar diante de tanta gente realmente me mostrou que aquilo era o que eu queria fazer. Eu sentia uma empolgação tão grande quando cantava para as pessoas que aquilo me fazia querer cada vez mais."

A vitória também impressionou o diretor da escola de Harry, Denis Oliver, que estava presente na competição, realizada na cantina. O Sr. Oliver mais tarde relembrou:

"A White Eskimo ganhou a Batalha das Bandas aqui quando ele estava na primeira série do ensino médio. Ele se apresentou em diversos eventos." A voz de Harry claramente causou um forte impacto sobre aqueles que formaram suas primeiras plateias.

Na verdade, algumas das crianças que estavam naqueles shows nunca se esqueceram do que viram. Bethany Lysycia, por exemplo, contou ao *Crewe Chronicle*: "Eles eram muito bons. Todo mundo ficou bastante impressionado, especialmente com Harry. Nós sabíamos que ele podia cantar, porque o víamos cantando pelos corredores o tempo todo. Ele estava destinado a ser um astro, e acho que está cada vez melhor."

Foram postados vídeos na internet com a banda tocando "Summer of '69" no casamento. Embora a voz de Harry fosse, naturalmente, bem mais aguda do que é hoje em dia, ele continua a mesma coisa no palco: pula, olha para o chão quando toma fôlego e, de forma geral, parece o mesmo garoto que agora está no One Direction. Outra música que eles tocavam com frequência era da banda Jet, e se chamava "Be My Girl". Em outro vídeo, a banda é vista ensaiando. O senso de humor deles é evidente.

O show que fizeram no casamento lhes rendeu o primeiro pagamento: a banda recebeu 160 libras. Eles dividiram o dinheiro igualmente, ou seja, cada um recebeu 40 libras. Como Harry se lembra carinhosamente, eles também ganharam sanduíches. Entretanto, a experiência e o feedback tiveram mais valor que o dinheiro e a comida. As pessoas disseram que ele era um vocalista nato. Seu carisma e sua presença de palco eram tão marcantes que um dos convidados do casamento, um produtor musical e, portanto, alguém com olhos experientes, o comparou com um dos maiores vocalistas da história da música britânica: Mick Jagger, dos Rolling Stones. Que honra! Harry ficou muito orgulhoso e animado com todas as reações positivas que recebeu. Ele estava se tornando uma minicelebridade e destaque local muito antes de ser conhecido pelo país e, depois, pelo mundo. Esse fato, aliado a sua beleza e seu jeito encantador, atraía a atenção das garotas muito anos antes de ele alcançar a fama através do *X Factor*.

Ele considera uma amiguinha que tinha aos 6 anos como a primeira amiga íntima. Ela era filha de uma amiga de Anne e os dois eram muito fofos juntos. Harry comprou até ursinhos de pelúcia iguais para eles. Ele a descreve como "a menininha mais linda do mundo". Aos

12 anos, ele teve sua primeira namorada de verdade, e declarou que sua primeira "ficada" foi com uma menina da escola.

Uma garota chamada Lydia Cole contou ao *Crewe Chronicle* que Harry tinha sido seu primeiro namorado quando ambos estavam na escola. "O que você vê na tela é a realidade", disse ela. "Esse é o Harry — ele sempre foi charmoso e atrevido." Os rumores sobre ele, que circularam depois de sua fama com o One Direction, o retratam como alguém muito experiente com as garotas, e sempre pronto a alardear suas façanhas. "Harry se gabava de com quantas garotas já tinha dormido", alegou uma pessoa "íntima" citada pela revista *Now*. "Ele disse que eram seis." E depois acrescentou: "Harry é muito paquerador." De todos os integrantes da banda, foi Harry quem pareceu mais confiante ao lidar com personalidades femininas atraentes durante seu período no *X Factor* e depois. O legado de sua experiência passada era visível na personalidade tranquila, confiante e audaz que ele demonstrava ao conversar com elas, e não correspondia a sua pouca idade.

Quanto a sua família, esta ganhou um novo membro quando sua mãe conheceu seu padrasto, Robin. O casal foi cuidadoso ao considerar os sentimentos de Harry e Gemma, apresentando sua relação gradualmente e de maneira sensível. Harry achou Robin ótimo, e adorou saber que ele tinha pedido Anne em casamento enquanto estavam assistindo à novela *Coronation Street*.

Outras memórias da infância incluem a vez em que comeu demais no restaurante T.G.I. Friday's e vomitou em cima da própria irmã a caminho de casa. O prazer pela comida nunca criou problemas de peso para Harry, em parte porque ele adora esportes, como badminton, futebol e críquete. Ele também se tornou um adversário temido no boliche. Não é de surpreender que uma de suas aulas prediletas na escola fosse Educação Física. Ele começou a representar o time de futebol local, em geral como goleiro.

Harry arranjou um emprego de meio expediente em uma padaria local, a W. Mandeville Bakery. Seu chefe, Simon Wakefield, disse à BBC que o considerava um empregado modelo. "Ele limpava o chão à noite e trabalhava aos sábados, servindo os clientes na loja. Ele era ótimo, era muito bom tê-lo ali — sempre havia uma atmosfera agradável quando ele estava por perto." O ex-chefe de Harry também disse que o menino "era muito popular com os clientes quando trabalhava no balcão". É de imaginar que seu carisma e boa aparência fossem admirados.

Harry estava pronto para transferir seu charme natural para rede nacional. Como milhões de outros ingleses, ele adorava assistir a shows de talentos na televisão, incluindo o *X Factor*. Quando viu que jovens competidores estavam obtendo sucesso naquele show, começou a acreditar que também tinha chance. Para usar uma frase que se tornaria apropriada no futuro, ele se atreveu a sonhar. Shows de talentos locais e casamentos eram bons, mas se apresentar diante do terrivelmente respeitado Simon Cowell e de seus companheiros jurados, assim como de milhões de espectadores, era uma perspectiva totalmente diferente. Então, ele pegou um formulário de inscrição, que Anne preencheu, e o enviou. A partir de então, foi uma questão de contar os dias para a apresentação. Ele disse aos colegas de banda o que planejava fazer, e eles não ficaram ressentidos. O baixista, Nick Clough, disse: "Estamos felizes por ele e desejamos tudo de bom." O guitarrista, Haydn Morris, completou: "Todo mundo aqui da escola está apoiando a decisão dele. É ótimo."

Embora estivesse cheio de ambição e esperança à medida que a apresentação no *X Factor* se aproximava, Harry mantinha a mente aberta em relação a seus planos de vida para os anos seguintes. Tudo o que ele sabia era que qualquer que fosse a profissão que acabasse desempenhando, tinha de ser alguma coisa que lhe proporcionasse uma vida confortável. Ele não queria ter dificuldades financeiras quando fosse adulto. Planejava ir para a faculdade e estudar Direito, Administração e Sociologia. Em seu tempo livre, ele trabalhava na padaria. Como veremos mais adiante, alguns dos outros garotos que acabaram fazendo parte do One Direction chegaram à apresentação no limite emocional. Eles sentiam que seu futuro dependia de conseguir um "sim" dos jurados. O blasé Harry estava ávido por obter sucesso, mas menos ansioso em relação ao resultado. Para ele, a experiência era mais uma descoberta: queria saber se possuía o talento para se tornar um cantor profissional. Se a resposta fosse negativa, tudo bem — pelo menos ele tinha tentado.

Às vezes, quando alguém tem um sonho na vida, encontra uma razão para desistir dele. Em vez de se concentrar em todas as coisas que poderiam dar certo, a pessoa imagina as que poderiam dar errado. O exemplo de Harry demonstra que algumas vezes vale a pena parar e considerar se existe algo a perder ao fazer uma tentativa. Ele não chegou ao *X Factor* com medo de que sua vida dependesse do sucesso. Simplesmente decidiu tentar e ver o que aconteceria. A vida é repleta de escolhas — e o jovem Harry Styles acabara de fazer uma, muito sábia.

2 LOUIS TOMLINSON

Louis é, de certa forma, o azarão da banda. Ao contrário de Harry, Liam e Niall, e até mesmo de Zayn, ele esteve praticamente ausente das telas de TV nas primeiras fases da edição do *X Factor*. Poucos espectadores o tinham notado antes da fase Judges' Houses. Mesmo quando a banda foi formada e levada para shows ao vivo, Louis era um dos integrantes que recebia menos destaque. Depois do programa, quando o One Direction deu seus primeiros passos na carreira, a inclusão dele no grupo foi até questionada por um amargurado vencedor de uma das edições anteriores do popular programa de TV. Muitos se sentiriam desencorajados por não ter um grande destaque. Mas não Louis — ele manteve a cabeça erguida, continuou a dar seu sorriso vencedor e, em pouco tempo, conquistou uma base sólida de fãs, às vezes recebendo aplausos e gritos mais altos do que todos os outros integrantes durante os shows e as aparições públicas.

Para lidar com isso, ele precisou de equilíbrio e confiança. Sendo o filho mais velho da família, Louis raramente sentiu falta de um ou de outro. Ele tem quatro irmãs: Phoebe, Daisy, Félicité e Charlotte. Como é o primeiro filho, espera-se que ele possua algumas características inerentes, como senso de obrigação e de responsabilidade, e capacidade de liderança. Em geral, isso acontece porque os filhos mais velhos, especialmente em uma família grande como a dos Tomlinson, têm em casa um papel semelhante ao dos pais. Eles são bons em ajudar a educar e cuidar dos outros. Louis declarou que as pessoas, às vezes, ficam impressionadas com seu jeito de lidar com crianças. Além disso, o primeiro filho tem uma característica menos positiva: pode ser propenso à autocrítica e a sentimentos de inveja ou culpa. Por trás dessa imagem despreocupada, Louis passa por momentos de infelicidade e insegurança.

Na verdade, o fato de ser o único menino da família afetou tanto sua vida quanto a ordem de seu nascimento, tornando-o muito próximo da mãe desde seus primeiros anos. Essa relação carinhosa se mantém até hoje, mesmo que ele esteja frequentemente a milhares de quilômetros de distância dela. As conversas entre mãe e filho no Twitter comprovam essa proximidade, assim como suas declarações. "Temos um relacionamento bastante próximo", afirma Johanna. "Ele tem quatro irmãs e é meu único menino. É um adorável garoto de família." Com uma diferença de idade tão grande entre ele e as irmãs mais novas — as gêmeas Daisy e Phoebe —, muitas vezes lhe pediam para ajudar com algumas tarefas domésticas, o que ele fazia com satisfação e eficiência. As fotos de infância de Louis frequentemente mostram-no cuidando das irmãs. Em uma imagem famosa, ele lê um livro para Charlotte, que está sentada em seu colo. Ele ama todas as irmãs, mas isso não o impediu de desejar ter tido também um irmão. Como isso não aconteceu, ele e o pai, únicos homens do abarrotado lar dos Tomlinson, estabeleceram um forte laço.

Como todas as fãs da banda sabem muito bem, Louis é o membro mais falante do One Direction. Na verdade, sua paixão por conversar, conversar e depois conversar mais um pouco é muito anterior à banda. Mesmo quando ainda andava no carrinho de bebê, Louis passava a maior parte do dia falando. Desconhecidos na rua eram cumprimentados em voz alta pelo lindo bebê no carrinho. Caso não respondessem com cordialidade suficiente, podiam em seguida ser alvo de um comentário menos afável do tagarela Louis. Ele era cheio de energia e personalidade — parecia haver algo de especial no "adorável garoto de família" de Johanna desde o início.

Quando criança, ele era um adorável garoto de família com tendência a sonhar. Antes de se estabelecer na carreira de cantor, Louis sonhava em ser, entre outras coisas, Power Ranger, jogador de futebol, fazendeiro, professor de teatro e ator. É natural que fosse tão aficionado pelos Power Rangers. Ele admite que quando era pequeno ficou "obcecado" pelo programa, e em diversos Natais consecutivos pediu um boneco Power Ranger ou outro brinquedo relacionado. Quando a família morou por algum tempo em Poole, perto de Bournemouth, Louis ficou extasiado ao saber que lá havia brinquedos dos Power Rangers à beira-mar. Seu futuro colega de banda, Zayn Malik, também era obcecado por esse seriado de TV, sem que Louis soubesse nessa época. Uma coincidência mais intrigante é o fato de que o homem que mais tarde tornaria os sonhos dos garotos realidade tinha desempenhado um papel significativo na história dos Power Rangers Simon Cowell, percebendo a enorme audiência que a série estava atraindo na TV, assinou um acordo para lançar as músicas dos Power Rangers. Um desses lançamentos chegou ao terceiro lugar nas paradas. Nos anos seguintes, Cowell colocaria Louis no topo das paradas.

Antes, entretanto, Louis teria de passar por diversos estágios enquanto desenvolvia seu amor pelo entretenimento. Na verdade, a vontade precoce de se apresentar estava mais ligada à atuação do que ao canto. Logo ele estava fazendo pequenos papéis em programas de televisão. Essa fase começou quando ele usou sua lábia para entrar no elenco de um programa do qual suas irmãs gêmeas estavam participando. Em uma dessas participações, conheceu a celebridade James Corden nos bastidores, e eles continuam amigos até hoje. Louis fez aulas de atuação e foi ambicioso o bastante para fazer um acordo com um agente teatral. Papéis — ainda que pequenos — se seguiram, incluindo um no programa da BBC *Waterloo Road*, e outro em um drama da ITV chamado *If I Had You*. Ele também atuou na escola e um dos destaques de sua vida pré-*X Factor* foi ganhar o papel de Danny em uma produção de *Grease — Nos tempos da brilhantina*. Ele quase explodiu de orgulho e empolgação com essa conquista. Havia duzentas pessoas na plateia; e todas dizem que ele foi um protagonista bem interessante.

Além de atuar, Louis sempre causou impacto na escola. Mais tarde, ele era vividamente lembrado — ainda que, às vezes, de forma contraditória — por muitos de seus professores. A diretora, Yvonne Buckley, confirmou seu ótimo desempenho como irmão mais velho quando disse: "Louis era um aluno aplicado e determinado, e dava muito apoio às irmãs." A lembrança de Buckley sobre Louis como "aplicado" é confrontada pela ex-conselheira acadêmica, Jenni Lambert. "Estou muito feliz por ele", disse ela ao *Daily Star.* "Ele era um pouco desligado na escola às vezes, mas adorava atuar, e vivia para tocar com a banda em bailes. Fazer apresentações em público era o sonho dele. É um garoto muito charmoso, mas não era muito fã de trabalhos acadêmicos." Dito isso, ela conclui: "Ele é muito agradável." Louis lhe forneceu um exemplo brilhante para motivar seus alunos. "Caso se esforcem", diz ela, "também podem se tornar tão bem-sucedidos quanto Louis".

Apesar do sucesso precoce com a atuação — uma disciplina à qual Louis pretende voltar a se dedicar no futuro —, foi a música que o tornou o exemplo que Lambert utiliza agora. Quando tinha 14 anos, entrou em uma banda chamada The Rogue. Ele se sente orgulhoso por ter participado desse grupo, e também de seu nome (certamente, tem mais a ver com uma banda de rock do que a White Eskimo de Harry). A história de como ingressou na Rogue é pouco convencional. Os outros integrantes se tornaram amigos de Louis durante um passeio escolar a Norfolk, e perguntaram se ele gostaria de ser o vocalista. O fato de terem lhe convidado sem nem saber se ele cantava ou não diz muito sobre seu caráter inato de astro. Se há uma maneira de demonstrar que uma pessoa possui aquela característica indefinível, embora importantíssima, conhecida como "fator X", é essa. A personalidade carismática de Louis — somada, talvez, a seu rosto bonito — tinha sido o bastante para convencer uma banda já formada de que ele era o homem que devia liderá-los.

Felizmente, quando ele começou a cantar, os membros da banda ficaram contentes com o que ouviram. A Rogue estava completa. O som deles era mais "pesado" do que o do One Direction. Entre os grupos cujas músicas eles tocavam estava a banda americana de punk-pop Green Day, mais conhecida por suas canções "American Idiot", "Wake Me Up When September Ends" e "Good Riddance (Time of Your Life)". Como vimos, Harry também era fã desse som vivo e agitado. A Rogue tam bém experimentou tocar músicas de outra banda de rock americana: The Killers. Quando Louis cantava as canções dessas bandas, ele se imaginava como os respectivos vocalistas — Billie Joe Armstrong e Brandon Flowers —, mas também tomava o cuidado de colocar um pouco de si na performance.

Com o tempo, ele se tornaria um verdadeiro astro, com todas as vantagens que isso proporciona — inclusive garotas. Ele deu seu primeiro beijo no quinto ano. "Não me lembro muito bem", ele contou ao site Sugarscape. "Foi um daqueles momentos meio que... meio estranhos. Mas tudo bem. Eu era novo e ingênuo. O que posso dizer?" No ano seguinte, ele teve sua primeira paixão por uma celebridade — a atriz Emma Watson, de *Harry Potter*. Ele se lembra de se apaixonar por ela quando foi com os colegas de turma assistir ao primeiro filme da série. "Literalmente, todos os caras gostavam [dela]", disse ele.

Quando chegou à adolescência, Louis começou a namorar uma garota de quem "gostava muito". Entretanto, algumas semanas depois, ela terminou o relacionamento porque, segundo ela, ele não era "bonito o bastante". Ao recontar a história, mesmo após se tornar cobiçado através do One Direction, a tristeza de Louis ainda era perceptível. "Ainda dói pensar nisso", disse ele. Hoje em dia, as fãs ficam perplexas por qualquer garota ter dispensado seu ídolo.

Mesmo levando em consideração que Louis é o integrante mais velho do One Direction, sua infância foi uma experiência mais agitada que a de seus companheiros de banda. Ele era um garoto enérgico e inquieto, ávido por experimentar o máximo possível que a vida tivesse a oferecer. Seu currículo está repleto dos muitos empregos que exerceu. Enquanto era adolescente, Louis trabalhou como treinador de futebol, vendedor de salgadinhos em um estádio de futebol, garçom, em uma filial da conhecida cadeia de lojas Toys R Us e em um cinema.

Mas rapidamente chegou a hora de se inscrever para uma apresentação no *X Factor*. Ele tentou em 2009, mas não passou da primeira rodada. Passou o ano seguinte determinado a voltar e obter mais sucesso. Quando se inscreveu novamente para a temporada de 2010, tinha acabado de finalizar importantes testes na escola, que poderiam ditar o destino de sua carreira. Sua vida nunca mais seria a mesma.

3 ZAYN MALIK

Com traços quase idilicamente lindos, incluindo a magnífica juba de cabelos pretos, Zayn poderia ter dado um rumo diferente a sua carreira. Conseguiria facilmente ter sido modelo, por exemplo. Teria sido ainda mais fácil para ele se tornar um chato arrogante — muitas celebridades jovens e bonitas são assim. Elas percebem rapidamente que seus belos traços são suficientes para abrir portas e chegam à conclusão de que não existe a necessidade de demonstrar qualquer charme genuíno. Mas Zayn, apesar de sua inegável porção de vaidade, evitou essas armadilhas e manteve a personalidade gentil, simples e levemente excêntrica que sempre teve.

Zayn Malik — seu nome, às vezes, é soletrado como "Zain" — nasceu em 12 de janeiro de 1993. Sua mãe se chama Tricia e o nome do pai é Yaser. Ele pertence a uma grande e amistosa família: tem três irmãs, cinco tias, dois tios e mais de vinte primos. Ser parente de tantas mulheres, um fato que tem em comum com seu companheiro de banda Louis, tornou Zayn particularmente carinhoso para com elas. Não só isso: ele é o filho do meio de seus pais e, como tal, acredita-se que tenha uma capacidade especial de sentir empatia e de ser sensível às necessidades dos outros. Seu status de filho do meio também significa que Zayn é mais propenso a brigar em favor dos mais fracos. Todos esses fatos empolgantes — unidos a sua beleza e seu sucesso — o tornam um namorado em potencial.

Mas que tipo de menino ele foi, que tipo de infância teve? Sua primeira memória é uma ida a um parque de diversões com a mãe e a avó. Para Zayn, então com 3 anos, foi uma experiência e tanto. Todas as luzes, barulhos e agitação geral causaram uma grande impressão no menino. Embora adorasse ser o centro das atenções em casa, nesse dia sua atenção e todos os seus sentidos foram cativados pelo que estava acontecendo a seu redor. Como uma celebridade, agora sua vida é colorida, frenética e divertida na maior parte do tempo — como um parque de diversões em tempo integral, poderíamos dizer.

Ele frequentou a escola Lower Fields, na Fenby Avenue, em Bradford. O lema da escola é "Compartilhando a visão, obtendo sucesso". Enquanto esteve lá, ele começou a desenvolver a paixão que eventualmente o lançaria à fama mundial. "Sempre adorei cantar", disse ele. Ainda pequeno, Zayn fez uma de suas primeiras apresentações públicas quando fez parte de um coral para o prefeito em uma filial da cadeia de supermercados Asda. Ele também tomou parte em atividades teatrais. O diretor da Lower Fields, John Edwards, falou sobre o famoso ex-aluno: "Eu me lembro de como era um ótimo garoto, esforçado, e me lembro particularmente da forma como ele atuou no papel principal da peça dos formandos do sexto ano."

De fato, houve muitos bons momentos para Zayn na escola. Entretanto, como fruto de um casamento inter-racial, ele também encontrou dificuldades em suas primeiras experiências na escola. "Nos dois primeiros colégios em que estudei, eu praticamente sentia que não me encaixava, porque era a única criança mestiça da turma", escreveu ele no livro *Dare to Dream: Life as One Direction*. Isso tornou a vida dele desconfortável e, por fim, ele foi para uma nova escola, onde se destacava menos, e se adaptou muito bem. Foi lá também que começou a perceber os encantos das meninas. Na primeira vez que beijou uma garota, Zayn percebeu que tinha de improvisar para fazer o beijo dar certo. "Eu tinha uns 8 ou 9 anos. [Ele já especulou em outro lugar que podia ter 10 anos quando isso aconteceu.] Eu me lembro que a menina era mais alta que eu, e nós estávamos do lado de fora em algum lugar, então eu tive de subir em um tijolo para ficar da mesma altura que ela. Essa é a coisa mais importante que me lembro sobre meu primeiro beijo."

Quando entrou na adolescência, Zayn se tornou cada vez mais consciente dos encantos das garotas, incluindo mulheres famosas. "Minha primeira paixão por uma celebridade foi, definitivamente, a Megan Fox", confessou ele. "Quando assisti a *Transformers*, só pensava que ela estava muito gata naquele filme."

• • •

Não é coincidência que, mais ou menos nessa época, Zayn tenha começado a tomar um cuidado especial com a aparência. Como tinha começado a apreciar garotas bonitas, ele queria ter a melhor aparência possível. Dito isso, sua atenção aos detalhes excedia a da maioria dos garotos de sua idade. Sem reclamar, o "Vaidoso Zayn" chegava a sacrificar trinta minutos de sono toda manhã para ter tempo de se arrumar e ajeitar o cabelo de acordo com seus padrões altamente minuciosos. Talvez, viver cercado por tantas mulheres o tenha influenciado a dar tanta atenção a sua aparência. Na verdade, era o pai que cortava o cabelo de Zayn quando ele era pequeno, e frequentemente era ele quem o ajudava a se arrumar de manhã. Toda a atenção que estava sendo dada à aparência do garoto valia a pena: ele era lindo.

Conforme se tornava mais interessado por garotas, Zayn experimentou vários looks para tentar chamar a atenção delas e descobrir a própria identidade. Em uma fase, ele raspou a cabeça e raspou linhas nas sobrancelhas. Como fã de hip-hop e R&B, estava tentando adotar esse estilo. Seu objetivo maior era ter uma aparência "descolada, de bad boy". Pensando no passado, hoje ele se pergunta se chegou a conseguir alguma das duas. Entretanto, ele realmente atraía a atenção das garotas, e aos 15 anos teve a primeira namorada. Antes de se tornar famoso, só namorou três meninas. Nesse ponto, ele já tinha desenvolvido algumas preferências básicas: a principal é gostar de garotas com muita personalidade e humor. Para Zayn, essas características são mais importantes do que aparência. Alguns detalhes de sua vida amorosa, entretanto, permanecerão sempre em segredo. Quando lhe perguntaram quando ele perdeu a virgindade, Zayn respondeu com uma provocante evasiva: "Um cavalheiro nunca conta."

Nessa época, seu amor por cantar e se apresentar publicamente aumentava a cada ano. Ele adorava a sensação de estar no palco: ela o fazia ganhar vida e o tornava o centro das atenções de todos. E também lhe dava uma válvula de escape para seu alto nível de energia. De fato, Zayn foi uma criança tão agitada que Tricia certa vez o levou a um médico para ver se havia alguma coisa que pudesse ser feita para torná-lo mais sereno.

Em casa, ele fazia pequenos shows para a família, nos quais cantava músicas de artistas como Daniel Bedingfield. O menino não tinha como saber na época, mas um dos fãs mais conhecidos de Bedingfield é um certo Simon Cowell — o homem que iria mudar sua vida.

Além de cantar, Zayn descobriu que também tinha talento para atuar. No ensino médio, ele integrou o elenco de uma produção escolar de *Grease – Nos tempos da brilhantina*. Um novo papel foi criado para ele, pois era baixinho demais para fazer o protagonista (como Louis conseguira fazer em seu colégio). Zayn continuou a participar de outras peças, incluindo a alegre história de gângster *Bugsy Malone* — na qual obteve o papel principal — e a fantasia de aventura *Arabian Nights*. Ele descobriu que desempenhar o papel de outra pessoa, de adotar uma nova identidade, era tanto libertador quanto emocionante. Ele sentia uma excitação tão grande ao atuar que, às vezes, demorava um pouco até ela "baixar" e ele poder relaxar o suficiente para dormir. Essa foi uma experiência precoce de algo sentido por muitos artistas — a "embriaguez da performance". Mas pelo menos ele tinha novos amigos com quem dividir a experiência. Zayn se tornou amigo de seus companheiros de atuação, e continua tendo contato com muitos deles até hoje. Apesar da agenda cheia, Zayn tem feito o melhor que pode para manter os pés no chão, e acha que o contato com os amigos de infância é uma maneira bastante simples e positiva de conseguir isso.

Zayn não se encaixa em todas as características associadas aos filhos "do meio". Por exemplo, muitos especialistas acreditam que tais crianças tendem a se destacar mais em atividades não acadêmicas, e não na escola. Zayn se destacou em ambas. Aos 8 anos, já tinha o nível de leitura de um adulto. Ele também é um artista nato — algo que acredita ter herdado do pai. Zayn obteve notas altas em importantes testes do sistema de educação britânico e prestou o exame de Inglês um ano antes, obtendo nota A. Ele perguntou se poderia refazer no ano seguinte, na esperança de ir melhor e tirar uma nota A+. Não lhe permitiram repetir o exame, mas ter de se conformar com um A não é a pior situação do mundo. Zayn, definitivamente, não é apenas um rostinho bonito.

Como capricorniano, espera-se que Zayn seja ambicioso e brincalhão, mas também tímido e reservado. Ele, com certeza, tem demonstrado sinais de todos esses traços. As fãs ficam admiradas com sua rapidez de raciocínio em algumas situações, mas já perceberam que ele é mais quieto em outras. Quando Zayn olha de volta para sua infância, lembra-se de ocasiões em que queria estar sob os refletores e ter a atenção de todos, mas também de momentos em que preferia se esconder em um cômodo tranquilo. Esses contrastes o tornam uma pessoa intrigante e multifacetada, e são essas complexidades que ajudam a lhe conferir aquela característica intangível, mas crucial para todos aqueles que desejam estar no mundo do entretenimento: o fator X.

Então, ele, obviamente, era um candidato promissor para o show de talentos. Tendo se destacado como um "astro" na escola Tong High, ele trancou temporariamente sua matrícula na instituição para se apresentar no *X Factor*. O diretor-assistente, Steve Gates, contou ao jornal local *Telegraph and Argus* que Zayn era "um ótimo estudante, que se destacou em todas as matérias de artes performáticas, um dos pontos fortes aqui na Tong". E acrescentou: "Ele era sempre um astro em todas as produções da escola." Foi um professor de musica o primeiro a sugerir que Zayn se inscrevesse no famoso show de talentos. Demorou algum tempo para que ele reunisse coragem para se apresentar. Aos 15 anos, em 2008 — o mesmo ano da primeira apresentação de Liam Payne, que chegou à fase Judges' Houses —, Zayn pegou um formulário de inscrição, mas não chegou a preenchê-lo. No ano seguinte, fez o mesmo. O desejo de participar do programa era forte, mas o nervosismo o superava. "Será que eu tenho mesmo o que é necessário para chegar lá?", ele se perguntava. Zayn estava seguro de sua ótima aparência, mas não sabia se sua voz seria forte o bastante e se teria coragem de ir até o fim da competição.

Finalmente, em 2010, ele se inscreveu. Preencheu o formulário, o enviou e se apresentou. Mas mesmo nessa situação precisou de um pouco de encorajamento de última hora. No dia da apresentação, mudou de ideia outra vez. Por trás de sua dúvida estava o medo de ser rejeitado. Ele queria ficar na cama. Foi sua mãe que ordenou que ele se levantasse e fosse ao teste. "Eu estava muito nervoso, mas ela me disse para ir em frente e não perder minha chance", relembrou Zayn.

E lá foi ele. O que aconteceu em seguida confirmou a velha máxima familiar: as mães sempre sabem o que é melhor.

4 NIALL HORAN

Quando o One Direction estourou nas paradas americanas, uma das primeiras pessoas a parabenizar os garotos no Twitter foi o rei do pop em pessoa, Justin Bieber. Depois de dar os parabéns à banda toda, o jovem ídolo canadense mandou um tuíte para a conta de Niall Horan, que dizia: "Os bons moços sempre vencem, cara." Essa foi uma mensagem especialmente apropriada, pois não apenas Niall é admirador de longa data de Bieber, como o jovem irlandês também é um dos maiores bons moços existentes. Leal, amigável e espirituoso, Niall sempre foi uma fonte de alegria para aqueles que o conheceram. Bieber está longe de estar sozinho nessa estima, pois a Niall não faltam defensores que se alegram com suas constantes vitórias.

Mas como foi a infância desse garoto irlandês? Quando lhe pedem para descrever a família Horan, o pai de

Niall provavelmente o diz melhor: "Somos apenas pessoas comuns." Niall Timothy Horan nasceu em 13 de setembro de 1993. Ele cresceu na cidade de Mullingar, em Westmeath, Irlanda. A cidade onde foi criado é pequena e tranquila; como o próprio Niall descreve, não há muita coisa para os jovens fazerem lá. Afinal de contas, sua principal atração turística são lagos — e lagos, mesmo que sejam incrivelmente bonitos, exercem um interesse limitado em adolescentes. Dito isso, Niall permaneceu firmemente leal ao lugar desde que se tornou famoso mundo afora. Ele ainda acha que o melhor jeito de passar uma noite é dar uma volta com seus melhores amigos em Mullingar. Pode não haver muito que fazer, mas não há lugar como o lar e não existem melhores amigos que os que fazemos na infância.

Por sua vez, a cidade está muito orgulhosa de Niall — houve até mesmo pedidos para que uma estátua dele fosse erigida lá. De uma forma mais ampla, ele tem orgulho de ser irlandês e de levantar a bandeira de seu país no palco mundial. A única parte dessa experiência que o chateia é quando as pessoas fazem comentários ignorantes sobre a Irlanda e seus habitantes. Por exemplo, ele reclamou que as pessoas constantemente lhe perguntam se ele gosta de batatas — fazendo referência à Fome da

Batata irlandesa. Embora agora viaje por todo o planeta por causa de seu trabalho, levando uma vida invejável, Niall ainda acha que não há lugar melhor que sua terra natal. Como observou seu amigo de infância, Sean Cullen, mesmo em meio a tanta fama, sucesso e atenção, se há uma coisa que Niall gosta é de ter uma chance de trocar ideias com os amigos no lugar onde cresceu. "Ele adora vir para casa", disse Cullen sobre o amigo.

Nos primeiros quatro anos de sua vida, a família de Niall morou no centro da cidade. Depois, eles se mudaram para uma propriedade mais afastada, e assim que a mudança ocorreu, os pais de Niall se separaram. Foi uma época muito triste para ele e para toda a família Horan. Entretanto, Niall era pequeno na época, de forma que sua compreensão das complexidades práticas e emocionais do acontecimento deve ter sido vaga. A princípio, ele ficou com a mãe, mas depois foi morar com o pai, cuja casa tinha uma localização mais conveniente em relação à escola do garoto. Suas primeiras memórias incluem brincar na rua com o irmão mais velho e outras crianças. Esses momentos nem sempre eram de harmonia entre os irmãos, pois Niall era a definição de irmão mais novo. Não apenas era mais novo em anos, ele sempre foi baixinho para sua idade, o que apenas lhe acrescentava um ar vulnerável.

Não que isso impedisse o corajoso Niall de, certa vez, bater no irmão Greg com uma raquete de pingue-pongue, chegando a tirar sangue. Alguns dos brinquedos de que Niall gostava na infância incluíam um tratorzinho, que ele dirigia para cima e para baixo na rua, e um uniforme do exército com um capacete e uma enorme arma de brinquedo. Então, em um Natal, ele ganhou um autorama. "Eu devia ter uns 4 ou 5 anos e ganhei um autorama — provavelmente, um dos melhores presentes que já recebi", ele contou à Capital Radio. Eles tinham peixinhos dourados de estimação que batizaram de Tom e Jerry (por causa dos personagens do desenho animado). Infelizmente, Greg deu comida demais aos animais, e eles morreram — uma experiência triste para todos os envolvidos. Havia uma tensão frequente entre os irmãos enquanto eles estavam crescendo. Niall disse que durante muitos anos eles "se odiaram", mas hoje em dia são carinhosos e adoram um ao outro.

Mais memórias precoces da vida de Niall incluem brincar com seu trator de brinquedo, viajar para Nova York durante as férias em família e chorar em seu primeiro dia de escola. Ele rapidamente se tornou confiante na escola — além de um aluno muito atrevido. Bem-humorado e com gosto por conversas, ele diz que "falava muito durante as aulas", mas nunca o bastante para ter problemas sérios, a não ser na vez em que matou um dia de aula — e acabou se metendo em uma grande confusão. Suas matérias favoritas eram Geografia e Francês; ele gostava menos de Inglês e Matemática. Os deveres de casa eram uma parte da vida escolar da qual ele nunca aprendeu a gostar. Um de seus melhores amigos na escola era um garoto chamado Nicky — eles se tornaram amigos quando Nicky soltou um pum durante uma aula chata de geografia. Aquilo realmente quebrou a monotonia da lição. Na época, Nicky não tinha como imaginar o significado de seu comportamento impróprio, que levou a uma longa amizade com um futuro astro do pop internacionalmente famoso. Foi uma erupção de considerável importância.

• • •

Durante todo esse tempo, o amor de Niall pela música — a ferramenta que lhe concederia tanta fama — estava crescendo. Ele aprendeu a tocar flauta assim que começou a escola, e seus dons musicais continuaram a se desenvolver a partir daí. A primeira pessoa a notar que ele tinha uma voz bonita foi sua professora de canto na escola, a Sra. Caulfield. Tendo ouvido a linda voz de Niall durante a apresentação do coral de Natal, ela o indicou para o coral da cidade. Ele tinha 8 anos. Seu amor pelo canto — além de seu talento — também estava sendo notado pela família. Certa vez, durante uma viagem de carro com sua tia em Galway, ele estava sentando no banco de trás enquanto cantava uma música de Garth Brooks. Niall estava cantando tão bem que a tia disse que achou que era o rádio. A partir daquele momento, ela passou a acreditar que o sobrinho se tornaria um astro do pop.

Como Niall refletiu, uma experiência similar, ocorrida em um carro, aconteceu com o mundialmente famoso cantor Michael Bublé quando este era criança. Um ávido estudante das carreiras de outros artistas, Niall ficou empolgado com a coincidência. Mal sabia ele que um dia conheceria seu ídolo. Além de ser inspirado por Bublé, Niall também estudou a música e a vida de Frank Sinatra. Sem o exemplo de Sinatra, disse ele, não teria se tornado um cantor. É tocante pensar que Niall, um jovem que hoje é inspiração para tantas pessoas, foi inspirado por alguém do passado. Durante muito tempo, ele sonhou em fazer um dueto com seu ídolo, Justin Bieber — e essa perspectiva não parece tão improvável levando-se em conta onde Niall está hoje.

Dois anos depois de ingressar no coral da cidade, Niall levou seu amor pelo canto e pela performance a um novo nível. "Eu sempre cantei, e quando tinha uns 10 anos, fiz o papel de Oliver na peça da escola, e me lembro de me sentir muito feliz no palco", disse ele. Além de cantar e atuar, ele também estava aprendendo a tocar guitarra. O dedilhado de Niall se tornou parte importante de seu lugar no One Direction. Ele tinha 12 anos quando começou a aprender a tocar o instrumento. "Ele aprendeu pela internet", lembrou seu pai, Robert. Com sua voz e sua técnica da guitarra se aprimorando, ele entrou em alguns shows de talentos. Entre as músicas que cantou estavam "I'm Yours", de Jason Mraz; "Last Request", de Paolo Nutini; e "The Man Who Can't Be Moved", da banda The Script. Às vezes, ele entrava nos concursos com seu amigo Kieron, que acompanhava o canto de Niall com uma bela guitarra.

Eles formavam uma dupla impressionante. O primeiro show de talentos do qual participaram foi um evento local. Niall, então com 13 anos, foi notado pela mídia local e teve o primeiro gosto da publicidade quando publicaram artigos e fotografias sobre ele. Foi estranho, mas empolgante, ver seu nome e rosto impressos. Ele sentiu um verdadeiro orgulho quando viu a reação da família e dos amigos àquilo. No show seguinte que participou, ganhou. Ele tinha cantado a música "With You", de Chris Brown. Sua vitória lhe deu confiança suficiente para acreditar que podia ter um futuro como cantor profissional. Mais cobertura da mídia se seguiu a sua participação em um show local ao estilo de *Stars In Their Eyes* no Mullingar Arts Centre. Ele gostou muito da experiência, e sua confiança foi aumentando. Ele se perguntava se sua tia estava certa. Será que ele estava destinado a ser um astro do pop como seus ídolos?

Logo, ele teve a chance de se apresentar ao vivo como atração de apoio. Uma dessas apresentações aconteceu quando ele abriu o show do finalista da temporada 2009 do *X Factor*, Lloyd Daniels. Niall ficou impressionado pela experiência do galã Daniels no show e disse ao jovem galês que planejava participar da temporada seguinte. Mais tarde, Daniels declararia que encorajou Niall, mas este tem uma lembrança diferente da conversa. Segundo ele, Daniels não pareceu nem um pouco impressionado quando ele revelou seu plano.

Além de se apresentar, Niall adorava ouvir música: uma de suas bandas favoritas era o Westlife. Ele também se tornou fã de Justin Bieber e adora os Jonas Brothers — "eles são uma lenda", diz. Enquanto ouvia as músicas desses artistas, Niall mal sabia que um dia conheceria todos eles e começaria a compartilhar de seu enorme sucesso.

Niall teve uma vida amorosa menos movimentada que a de alguns outros integrantes do One Direction, mas, mesmo assim, teve seus encontros com o sexo oposto. Deu seu primeiro beijo aos 11 anos, com uma estudante de intercâmbio francesa. Ela estava na casa da família de um dos amigos de Niall. Ele teve paixões por várias celebridades, incluindo Jennifer Lopez. ("Afinal, quem consegue resistir àquele bumbum?") Ele também teve uma namorada quando tinha mais ou menos 13 anos, mas diz que não durou muito nem foi um relacionamento sério. "Na verdade, não saí com muitas meninas", declarou à revista *OK!*. "Gosto de ficar em casa, relaxar e assistir a um filme", acrescentou.

Outros momentos inesquecíveis da infância de Niall incluem partidas de futebol nos campos da escola e vários penteados que hoje lhe causam arrepios. Bem, nenhum desses dois passatempos prejudicou David

Beckham. Quanto a Niall, seus pais o resumiram de maneira sucinta: "Ele é um garoto feliz. Uma coisa da qual tenho certeza é que ele é totalmente comprometido e focado no canto", disse sua mãe, Maura. "Ele cantava no café da manhã, no almoço e no jantar." Feliz é exatamente como Niall geralmente se sente. Na verdade, são bem poucas as coisas que podem inquietar sua natureza tranquila. Mas algo que consegue fazê-lo são pombos, animais pelos quais ele criou aversão após uma experiência de arrepiar os cabelos enquanto ele estava atendendo ao chamado da natureza. "Eu detesto pombos desde que um deles entrou pela janela do banheiro e foi para cima de mim enquanto eu estava fazendo xixi. Foi o bastante. Acho que os pombos têm marcação comigo", disse ele ao *Sun*. Bom, por que eles seriam diferentes das milhões de fãs do One Direction?

Quanto a seu pai, Robert, ele diz que Niall começou a mostrar sinais de outras habilidades performáticas já no começo da vida. "Niall sempre se interessou pela indústria do entretenimento", contou ele ao *Irish Independent*. "Além de cantar, ele passou a infância imitando os outros. Ele é brilhante, teria sido um ótimo comediante se não tivesse seguido outro caminho. Ele consegue fazer qualquer sotaque." Frequentemente, Niall é o mais bem-humorado e divertido dos integrantes do One Direction. Seu jeito engraçado é um antigo traço de personalidade desse rapaz atrevido. Quando a banda está na estrada, trabalhando duro, é normalmente o humor de Niall que os anima.

Quando é necessário, entretanto, Niall consegue ser muito sério. Não se deixe enganar pelo rosto maroto: ele possui uma ambição ferrenha na alma. Mesmo ao se inscrever para a apresentação no *X Factor*, Niall, inspirado pelo sucesso do vencedor adolescente Joe McElderry, parecia ter a sensação de que iria longe. Na época, ele namorava uma garota que achava "incrível", e, mesmo assim, decidiu terminar com ela pouco antes de se apresentar, acreditando que sua vida estava para sofrer uma mudança dramática. "Eu precisava me concentrar na carreira", disse ele.

Sua mãe, Maura, falou mais sobre essa garota e sobre o relacionamento dela com Niall. "Ele tinha uma namorada em nossa cidade, da época da escola, antes de se apresentar no *X Factor*", contou ela ao *Herald*. "Mas, depois, ele entrou no programa e ela estava fazendo provas, e a vida é muito diferente para ele hoje em dia. Não sei se meu filho a vê muito quando está em casa, ela era linda, mas eles tinham 16 anos na época —

os relacionamentos nunca são muito sérios nessa idade." O fato de ter acabado com o namoro demonstra claramente que Niall não estava se apresentando só por se apresentar — sua intenção era séria. Dito isso, ele ainda teve o bom-senso de fazer alguns planos para o caso de não obter sucesso no programa de TV. Tendo sido aprovado recentemente na instituição Colaiste Mhuire, ele planejava ir para a universidade e estudar Engenharia Civil. Entretanto, é improvável que isso aconteça por enquanto. O bom-moço do pop tem coisas mais importantes a fazer hoje em dia.

5 LIAM PAYNE

Se uma única qualidade tivesse moldado o curso da vida de Liam Payne, seria a determinação. Não qualquer tipo de determinação — mas uma resolução ferrenha e inflexível. Liam pode se divertir e arrasar corações na hora certa, mas não deixa nada atrapalhar seu caminho na busca por alcançar seus objetivos. O que não é problema algum, já que, como muitos astros, ele teve de superar muitos reveses na caminhada para o topo. O mais significativo e desafiador de todos foi que, segundo o próprio, Liam nasceu "praticamente morto". Os médicos tiveram de trabalhar rapidamente para reanimá-lo — um começo longe de ser ideal. Ele veio ao mundo em 29 de agosto de 1993, prematuro de três semanas, e depois passou por uma série de problemas de saúde durante os quatro primeiros anos de vida. A dificuldade fundamental que enfrentou foi ter nascido com apenas um dos rins funcionando. Isso ocorre em cerca de uma a cada 750 pessoas, e gera diversas complicações.

Quando ele nasceu, os médicos não conseguiram obter uma reação, e temeram que Liam fosse um natimorto. Felizmente, ele sobreviveu a sua dramática chegada ao mundo, mas ainda estava destinado a vários anos de visitas constantes ao hospital. A princípio, os médicos não sabiam por que ele ficava constantemente doente. Estava sempre entrando e saindo do hospital para fazer testes e exames enquanto os médicos tentavam chegar à raiz do problema. Finalmente, depois de vários anos de exames frequentes, descobriram o problema renal dele. Embora — assim como a maioria das pessoas — Liam tenha dois rins, apenas um deles funcionava adequadamente, e durante os anos que se passaram antes que esse mau funcionamento fosse detectado, o órgão tinha sido tão prejudicado que não havia esperança de salvá-lo e torná-lo saudável e funcional.

• • •

Assim, Liam foi sentenciado a um tratamento que seria suficiente para levar qualquer garoto à beira do desespero. Em certa fase, ele tinha de tomar nada menos que 32 injeções no braço todas as manhãs e noites. Ele deve ter se sentido como uma almofada para alfinetes enquanto passava por esse doloroso e demorado processo. Como qualquer pessoa que passou por um tratamento médico complicado na infância deve se lembrar, o desejo de que tudo termine e seja deixado no passado é forte. Mais do que qualquer outra coisa, a criança só quer ser normal, como qualquer outra. Porém, apesar disso, ele conseguia se manter animado na maior parte do tempo, e sua mãe se lembra que ele dançava pela sala de estar com a música de abertura da série televisiva infantil *Noddy*.

Finalmente, o tratamento foi reduzido e a vida de Liam se tornou mais normal. Ele foi avisado de que, devido a seu problema renal, era mais importante do que nunca se manter o mais saudável possível. Por exemplo, ele tinha de tomar cuidado para não ingerir líquidos demais — até mesmo a água devia ser cuidadosamente controlada. Liam levou todos os conselhos dos médicos muito a sério, e o legado desses conselhos foi um fator considerável em tudo o que aconteceu em sua vida desde então, mantendo o rapaz mais concentrado do que a maioria das pessoas em levar uma vida saudável, bem-sucedida e longa.

Sua primeira escola foi a Collingwood Infants School, na Collingwood Road em Bushbury, Wolverhampton. Poucos dos que frequentaram essa escola naquela época vão se esquecer de Liam, pois, dias depois de sua chegada, ele se meteu em várias confusões. Ele estava sempre entrando e saindo do escritório da diretora depois de várias travessuras, incluindo guerras de água. Ele também subiu no telhado para recuperar bolas de futebol que tinham acidentalmente sido chutadas para lá por jogadores entusiasmados demais. Embora pudesse ser brincalhão e levado, Liam se concentrava nas aulas. Uma de suas matérias preferidas era Ciências.

Enquanto estava na escola, ele também começou a desenvolver o amor pela música e pelo canto — um amor que iria modificar sua vida para sempre. Quando tinha apenas 5 anos, Liam fez sua primeira apresentação pública. "Adoro cantar, é algo que sempre fiz, desde que fui a um karaokê quando estava em uma pousada e balbuciei a letra de 'Let Me Entertain You', de Robbie Williams", explicou mais tarde. Embora sua interpretação de Robbie não tenha sido perfeita, Liam com certeza adorou a experiência — e também a reação que provocou —, e isso o fez querer continuar a desenvolver sua voz. Sua mãe não se incomodou com as imperfeições: ela estava tão orgulhosa que filmou a performance. Ele também falou de outra apresentação de karaokê no começo, na qual cantou "I Believe I Can Fly", de R. Kelly.

Em casa, ele recebia muito amor. Seu pai, Geoff, e sua mãe, Karen, também tinham duas filhas, Nicola e Ruth, ambas mais velhas que Liam. Como o irmão, elas gostam de cantar. Nicola é a mais velha dos três. Para Liam, ela era uma figura de autoridade que tinha praticamente um ar paterno. Como último filho a nascer, Liam é o caçula. Especialistas que estudam o efeito que a ordem dos nascimentos das crianças de uma família tem sobre elas identificaram várias características comuns nos caçulas, entre as quais estão cotas extras de charme e um forte desejo de ser o centro das atenções. Essas crianças também são extremamente criativas, mas menos ambiciosas e organizadas que as outras. Dizem que são rebeldes e dispostas a assumir riscos.

Quantas dessas características podemos ver em Liam? Claramente, seu charme é inegável. Ele suplementa sua boa aparência física com uma simpatia e um carisma que vêm do fundo de sua alma. Quanto ao desejo de ser o centro das atenções, o dele é apenas parcial. Com certeza, ele se sente confortável sob os refletores do palco e diante das câmeras de TV. Entretanto, em situações mais cotidianas, às vezes é tímido e introvertido. Muitos o identificaram como "o quieto" da banda. Será que ele é realmente rebelde, criativo e disposto a se arriscar? Como veremos, sim, ele é. Mas uma das características dos caçulas que não poderia se aplicar menos a Liam é a falta de ambição. Mais do que qualquer integrante do One Direction, Liam tem um objetivo claro, no qual está focado há vários anos.

Na verdade, ele é tão ambicioso que delineou mais de uma meta na vida e considerou várias carreiras diferentes antes de escolher a música, muitas das quais estavam ligadas ao esporte. Ele tentou — sem sucesso — entrar no time de futebol da escola. Depois, decidiu tentar correr. Sua primeira tentativa foi uma corrida cross-country, e, para sua alegria, Liam não apenas adorou a sensação de correr como também chegou em primeiro lugar.

Essa doce sensação foi estragada por um momento, quando Liam foi acusado injustamente de trapacear. Ele tinha competido contra um dos melhores atletas da região, alguém que os espectadores ficaram perplexos por ver Liam, um mero novato, conseguir derrotar. Na semana seguinte, Liam desafiou o mesmo corredor para repetir a competição. Novamente, Liam venceu. Sua habilidade já não podia ser posta à prova. Ele logo se tornou um corredor inveterado. Ele adorava tudo: a sensação de liberdade ao ar livre, o fato que a corrida o mantinha em forma, o senso de conquista e a onda natural que sentia ao final de uma competição. Ele entrou para o Wolverhampton and Bilston Athletics Club. Estava verdadeiramente comprometido com a corrida e frequentemente se levantava às 6 horas para correr quase 10 quilômetros antes da escola, além de mais alguns quilômetros à noite.

Todo esse treino compensou. Aos 12 anos, Liam tinha se tornado um corredor tão talentoso e bem-sucedido que foi colocado no time sub-18 da escola. Lá estava ele, que não era nem um adolescente ainda, competindo — e ganhando — de homens de 18 anos. Em seu clube, Liam também continuou a competir, e por três anos ficou entre os três melhores para a sua faixa etária nos 1.500 metros. Como o próprio Liam disse, essas conquistas são "maravilhosas". Ele chegou muito perto de conseguir uma vaga na equipe de corrida da Inglaterra. É bastante possível que, caso tivesse conseguido, não o conheceríamos como um integrante do One Direction, mas como atleta da equipe da Grã-Bretanha nas Olimpíadas de 2012, em Londres.

Correr era apenas um dos esportes dos quais Liam estava participando. Graças às frequentes férias em família nos Estados Unidos, ele tinha se tornado também um fã de basquete. Entrou para um time local, mas logo se tornou alvo de alguns garotos mais velhos que tinham inveja do moderno kit americano de Liam. Entretanto, a intimidação foi além de palavras agressivas: o rapaz ficou tão amedrontado e nervoso que compartilhou suas preocupações com a família. Uma de suas irmãs estava namorando um ex-lutador de boxe na época, e os pais de Liam sugeriram que ele também aprendesse boxe, pois os valentões pensariam duas vezes antes de implicar com ele no futuro.

Normalmente, as pessoas que têm problemas nos rins são aconselhadas a evitar esportes de contato, mas Liam foi liberado para tentar o boxe. Quando entrou no clube de boxe, foi jogado aos leões: uma de suas primeiras lutas, aos 12 anos, foi contra um treinador de 38 anos.

Não é de estranhar que as primeiras visitas ao clube tenham sido experiências tão assustadoras para o garoto. Muitas vezes, ele chegava em casa abalado e machucado — chegou até a ter o nariz quebrado e um tímpano perfurado. Mas continuava indo: geralmente, três vezes por semana.

Mas deixando de lado as habilidades para a luta, ele também estava obtendo exatamente o que tinha ido buscar ali: confiança. Os valentões continuaram a ser cruéis com ele por algum tempo, incluindo um dia em que o perseguiram pela rua. Covardes em todos os sentidos, eram mais velhos que Liam e agiam em grupo. Quando Liam perdeu a paciência, brigou com um deles e, graças a seu treino de boxe, se deu bem. Como consequência, ele teve diversos problemas na escola, sendo que chegou a ser ameaçado com expulsão. Mas tinha mostrado ao mundo que não seria facilmente coagido.

Outros esportes dos quais Liam gostava incluíam o futebol, tanto como jogador quanto como fã — apesar de sua decepção por não conseguir entrar para o time da escola. De participar das "peladas" na hora do almoço a assistir ao West Bromwich Albion no estádio The Hawthorns, ele sempre foi um verdadeiro aficionado por esse belo jogo. Quando seu time subiu de divisão no futebol inglês, ele se juntou aos outros torcedores para correr para o campo e celebrar — "Um grande momento', segundo ele mesmo. Liam também gostava das aulas de Educação Física. Na verdade, gostava tanto que lhe sugeriram que ele considerasse se tornar professor dessa matéria. Foi uma opção que despertou certo interesse no rapaz.

Liam sempre pareceu estar olhando para o futuro. Embora adorasse ser criança, sempre esteve de olho no que estava por vir. Outro caminho profissional que considerou foi um aprendizado na fábrica de aviões na qual seu pai trabalhava. Liam imaginava que seria um pouco como passar o dia brincando com um Lego gigante, embora seu pai tenha explicado que, na verdade, era um trabalho muito árduo. "Talvez eu pudesse ser bombeiro", pensava Liam, com a imaginação fértil de sempre. Ele pode até ter fantasiado sobre suas chances de se tornar um homem de negócios. Depois de assistir à série de negócios da BBC, *Dragon's Den* (ou, em tradução livre para o português: *O covil do dragão*), Liam ficou tão inspirado pelos empreendedores que começou um pequeno negócio próprio. Ele comprava grandes pacotes de doces e os vendia na escola com lucro. Os dragões do covil, certamente, teriam ficado impressionados: o jovem Liam frequentemente tinha um lucro de cerca de 50 libras por semana.

Na verdade, suas experiências de negócios na infância lhe proporcionaram uma visão definida sobre como os jovens deveriam levar a vida, e formaram algumas opiniões políticas em sua mente. "Os jovens deveriam ficar na escola e se qualificar", disse ele ao *Sunday Times*. "Você não pode ficar parado sem fazer nada. É preciso ir à luta e fazer as coisas acontecerem", disse Liam. "Você pode começar vendendo coisas no eBay, por exemplo." Ele não é o único integrante do One Direction a admirar jovens empreendedores. Harry também revelou opiniões semelhante. Ele declarou certa vez: "Eles deveriam se tornar empreendedores, arranjar um emprego, criar uma empresa."

Liam usou vários cortes de cabelo durante a infância, que incluíram a cabeça raspada com máquina 3, estilo desenhado à máquina e algo que ele chamou de "um grande cogumelo". Por fim, adotou sua popular franja. Começou a perceber os encantos das garotas enquanto crescia, e deu seu primeiro beijo aos 11 anos. "Foi com uma garota chamada Vicky — ela era uma menina linda", relembrou ele. "Bons tempos, comecei cedo", acrescentou logo depois. Ele também relembrou uma garota chamada Charnelle, que lhe mandava cartas de amor. Ela era dois anos mais velha que ele, e Liam se achava um adulto por namorar uma garota mais velha. Nenhuma dessas jovens sabia que estava namorando um futuro astro, que logo se tornaria um destruidor de corações de garotas de todo o planeta.

Ele teve uma grande paixão por uma garota chamada Emily e chamou-a para sair vinte vezes antes que ela aceitasse. Ele só conseguiu um sim depois de cantar para ela. A música escolhida foi "Let Me Love You", de Mario. "Ela me dispensou no dia seguinte porque eu a tinha pressionado a sair comigo por cantar para ela." Algumas fãs podem ficar surpresas ao saber que antes de ficar famoso, Liam, agora adorado por milhões de garotas do mundo inteiro, normalmente não tinha muita sorte no amor. Às vezes, os amigos lhe diziam que determinada garota estava a fim dele. Só depois que ele a chamava para sair — e era rejeitado — descobria que os amigos estavam apenas lhe pregando uma peça. "Humilhante", foi como ele definiu essas situações. Perguntado pelo

Sunday Times quando perdeu a virgindade, deu uma resposta discreta e divertida: "Não me lembro."

Enquanto isso, a música ainda era uma grande parte da vida de Liam. Aquela apresentação de "Let Me Entertain You" era só o começo de um caso de amor. Certamente ele gostava de ouvir música — seus artistas favoritos incluíam Robbie Williams e Oasis, sendo que as letras desse grupo tinham a ver com sua perspectiva de vida. "Você tem de fazer acontecer", dizia o Oasis em uma de suas canções. Liam concordava. Além de ouvir música, ele também gostava de cantar, tendo ingressado no coral da escola quando estava no nono ano. No coral, adquiriu muita experiência de cantar diante de uma plateia. Eles inclusive estabeleceram um recorde mundial quando, juntamente com diversas outras escolas, se juntaram para cantar a mesma música — "Lean On Me", de Bill Withers — em uníssono.

Na verdade, ele não conseguia parar de cantar. Durante passeios com a família, cantava no carro, e depois, em casa, ele colocava óculos escuros e cantava junto com os CDs do Oasis de seu pai. Mostrando seu senso natural de performance, Liam copiava a postura do vocalista da banda, Liam Gallagher: mãos atrás das costas, pescoço inclinado para que o rosto ficasse virado para cima. Nesses momentos, ele fazia o melhor que podia para imaginar como seria realmente fazer um show para milhares de fãs fanáticas. Outra grande inspiração de Liam é o cantor americano Usher, o homem que ajudou a lançar a carreira de Justin Bieber, a quem Liam seria comparado quando sua própria carreira começasse.

Como sempre foi o tipo de garoto que levava seus interesses até o fim, quando tinha 12 anos, Liam se juntou a um grupo de artes performáticas chamado Pink Productions. Sua professora, Jodie Richards, relembra seus encontros com o futuro galã. "Liam se juntou a nós como um menino tímido que queria cantar depois de ver as irmãs se apresentando conosco", contou ela ao jornal *Express & Star*. Ela nunca duvidou do talento do garoto, mas sentiu que Liam precisava de uma injeção de confiança para fazer jus a ele. "Quem poderia imaginar que o Liam que vemos hoje teve de ser praticamente obrigado a subir no palco? Desde cedo ficou claro que ele tinha um talento natural." A professora acrescentou que ele ganhava mais confiança a cada show e fez algumas "grandes apresentações de canto". Avaliando sua personalidade geral, ela o descreveu como "um rapaz muito adorável" e explicou que estava "extremamente orgulhosa" de poder dizer que o conhecia.

Ele continuou a aproveitar todas as oportunidades que tinha para fazer mais apresentações de karaokê. Na verdade, depois de cantar em karaokês nos Estados Unidos, Inglaterra, Espanha e Portugal, Liam tinha praticamente feito uma espécie de turnê mundial muito antes de o One Direction ser formado. Através dessas e outras apresentações, ele foi se aperfeiçoando gradualmente. Sua voz melhorou, assim como sua presença de palco (de todos os futuros membros do One Direction, Liam seria o que faria melhor uso do palco em sua primeira apresentação no *X Factor*, em 2010). Essa confiança foi aperfeiçoada durante as frequentes apresentações nos anos anteriores.

Liam ouvia as avaliações que recebia e sempre melhorava sua imagem. Quando entrou no programa pela primeira vez, em 2008, seus amigos zombaram dele, mas foi apenas de brincadeira. No fundo, eles lhe desejavam o melhor. Ele ficava cada vez mais empolgado, conforme o grande dia se aproximava. Ele queria ser bem-sucedido. "As pessoas me diziam que eu tinha uma voz boa, então pensei em tentar me apresentar no *X Factor*", disse ele.

Para um garoto que se tornaria ídolo internacional, Liam certamente escolheu uma roupa "interessante" para sua primeira aparição televisiva. Usou uma camiseta grande demais para ele, fazendo a gola parecer quase comicamente larga sob o colete. O jeans também era enorme, de forma que ele teve de apertar muito o cinto para que ele não caísse. Embora os espectadores não soubessem que um dos sapatos que ele usava tinha um buraco, esse fato só aumentou o desconforto de Liam durante as horas que esperou para ter sua chance de cantar diante de Simon Cowell, Cheryl Cole e Louis Walsh.

Ele não deixou que a combinação de roupas peculiares diminuísse sua confiança, e entrou para a audição com uma aparência muito tranquila e autoconfiante. "Estou aqui para vencer", disse aos jurados, com uma postura provocativa desde o começo. "Muita gente me disse que sou um bom cantor, e que tenho o fator X — mas não sei exatamente o que é isso, e acredito que vocês sabem." Foi uma frase calculada e inteligente. Simon Cowell, em especial, admira aqueles que têm grande ambição, tanto quanto não gosta de qualquer senso de ilusão ou desespero. Liam tinha se colocado bem. Depois, ele disse que se sentiu "um pouco nervoso" antes de começar a cantar, mas em seguida o nervosismo desapareceu. Ele cantou "Fly Me to the Moon", marcando o ritmo estalando os dedos e até mesmo piscando de maneira atrevida em certo ponto para Cheryl Cole. Ela gostou desse momento e sorriu em resposta.

Considerando tudo, foi uma apresentação mais do que adequada. Quando chegou a hora dos veredictos dos jurados, era na opinião de Cowell que Liam estava mais interessado. Ele se sentia muito apreensivo em relação ao jurado principal e desejava mais do que tudo receber sua imensamente cobiçada aprovação — pois sabia que Cowell não fazia elogios facilmente. Foi Cowell quem falou primeiro, dizendo que vira "potencial" em Liam, mas, ao mesmo tempo, tinha sentido que lhe faltava "um pouco de garra, um pouco de emoção". Cole disse que tinha gostado de Liam e, ao contrário de Cowell, ficara impressionada com o "carisma" demonstrado por ele. Louis Walsh também ficou encantado com o jovem. "Acho que ele poderia se sair muito bem", disse o irlandês.

Então Cowell falou novamente. Disse a Liam que ele era "jovem, bonito — as pessoas vão gostar de você", mas acrescentou que, na opinião dele, havia "vinte por cento faltando no momento". Nesse instante, a autoconfiança de Liam se tornou evidente. Em vez de se intimidar pelo comentário, ele aceitou o desafio. "Bom, me deixe fazer outra apresentação e vou lhe mostrar que tenho esses vinte por cento", disse ele. Cole ficou visivelmente impressionada com essa resposta corajosa, que Liam dera com a quantidade certa de confiança e educação. Quando chegou a hora de votar, os três jurados disseram "sim" — Liam tinha conseguido! Ele saiu da sala e foi cercado pela família.

Mais à frente, Liam demonstrou sua maturidade quando continuou a aceitar as críticas de Cowell com o espírito construtivo com que tinham sido feitas. "[A avaliação de Cowell] me deu alguma coisa sobre a qual trabalhar, o que é bom", disse ele. Dado que alguns competidores muito mais velhos que Liam ficavam irritados e mal-humorados quando eram criticados pelos jurados, a reação madura de Liam se torna ainda mais admirável.

O estágio seguinte de sua jornada era a fase Bootcamp do programa. Nela, Liam teve a chance de fazer amizade com outros aspirantes. Seu instinto ambicioso lhe disse que valia a pena conversar com o maior número de pessoas possível. Ele acabou se mostrando muito sociável. "As pessoas acham que é apenas uma competição de canto, mas é muito mais que isso", disse ele, explicando como tinha gostado de toda a experiência, especialmente da chance de fazer tantos novos amigos.

Então, ele cantou no palco diante dos jurados, e deu tudo de si. Eles ficaram impressionados. "Muito convincente, muito profissional, e você só tem 14 anos", disse-lhe Walsh. "Liam, você é um pequeno azarão", acrescentou Cowell, lançando a Liam um sorriso orgulhoso, mas discreto. Mais tarde, os competidores estavam reunidos para o primeiro e temido corte do Bootcamp. Embora muitos estivessem extremamente ansiosos enquanto esperavam para descobrir se sobreviveriam ao corte, Liam se declarou "confiante".

Mais uma vez, seu instinto estava correto — ele passou do estágio seguinte no Bootcamp. Ele estava, como relembrou, "levemente mais nervoso" naquele dia. Liam cantou "Your Song", de Elton John. Colocando emoção e drama em sua apresentação, ele incluiu um momento de leve teatralidade na apresentação, desejando que os jurados vissem todo o leque de suas habilidades e para mostrar a Cowell que os "vinte por cento" tinham sido encontrados. Depois de terminar a música, Liam teve de sair do palco e deixar os jurados decidirem. Quando ele saiu, Cowell disse aos outros: "Eu gosto dele."

Com o veredicto de Cowell sempre tão influente, pareceu aos espectadores que assistiram a esse episódio que Liam passaria tranquilamente à fase seguinte — a importante Judges' Houses. Entretanto, não seria assim tão simples. Em vez disso, a primeira grande reviravolta da edição foi a aprovação de Liam. Primeiro, os competidores foram chamados ao palco em grupos, onde foram alinhados e ouviram os jurados lhes dizerem se tinham passado à próxima fase ou se iam para casa. Como de costume, os jurados fizeram o maior suspense possível nesses momentos. Um dos truques favoritos é dizer aos concorrentes "temos más notícias", apenas para acrescentar, após uma pausa agonizante, algo como "você terá de nos aguentar mais um pouco, pois você passou".

Quando Liam se colocou ao lado dos companheiros de competição, ele ouviu atentamente as palavras de Cowell. "Aconteça o que acontecer, vocês podem sair com a cabeça erguida", lhes disse o jurado principal, mas adicionou: "Tenho más notícias." No momento em que eles saíam do palco, Liam se virou momentaneamente para os jurados. Talvez esperasse por uma virada de última hora. Nos bastidores, ele estava arrasado. Disse que pensou que tinha feito progresso suficiente, e falou: "Sinto como se algo tivesse sido tirado de mim." Então, os jurados apareceram na tela da TV mudando de ideia em relação a Liam. "Estou lhe dizendo, acho que deveríamos dar uma chance a esse garoto", disse Cowell. Ele decidiu passar Liam para a próxima fase, afinal de contas. "Esta é a coisa certa a fazer", disse ele. Os outros jurados concordaram alegremente.

Um produtor se aproximou de Liam e disse que os jurados queriam que ele voltasse ao palco. Naturalmente, ele pareceu chocado. Tinha assistido às edições anteriores e sabia que sempre havia algumas "guinadas chocantes" para acrescentar drama. Enquanto esperava que estivesse retornando ao palco para ouvir que voltaria à competição, ele sabia que não podia se dar o luxo de ter certeza de nada. Cowell quebrou o silêncio quando Liam apareceu no palco, parecendo um pouco tímido. "Eu não faço isso com frequência, mas essa foi por um triz", começou Cowell. Liam, então, interrompeu para fazer um último apelo por si mesmo. "Quero ir até o fim, Simon."

"Eu sei que quer", respondeu Cowell. "E a outra coisa que quero lhe dizer é: nós mudamos de ideia." Liam ficou tão perplexo e feliz que caiu de joelhos. "Eu seria totalmente louco se tivesse ido para casa sem fazer isso", disse Cowell. Que maravilha, Liam era o garoto que tinha retornado! Ele já tinha ligado para casa e comunicado que estava fora, então, quando fez uma segunda ligação para contar à família que na verdade passara à fase Judges' Houses, eles tiveram dificuldade de acreditar. "Não, estou falando sério — eu passei! Estou falando sério mesmo", disse ele. Que dia frenético tinha sido aquele. Um momento tocante foi quando os companheiros de competição de Liam foram vistos comemorando com ele. Ele tinha conquistado mais do que os jurados no Bootcamp.

Liam passou de um momento em que acreditou que sua jornada no *X Factor* tinha acabado a outro, no qual recebia informações sobre sua viagem a Barbados, para cantar diante de Simon Cowell na fase Judges' Houses. Ele sabia que tinha um trabalho árduo pela frente, mas também sabia que se passasse dessa fase iria para os shows ao vivo. O fato de que sua categoria estava sendo monitorada por seu jurado preferido apenas deixava

Liam ainda mais empolgado. Sua categoria era muito forte, incluindo um irlandês com um rosto atrevido chamado Eoghan Quigg e outros concorrentes importantes, como Austin Drage e Scott Bruton.

Ao lado de Cowell em Barbados estava sua assistente de longa data, Sinitta. Ela apareceu diante de Liam e dos outros garotos usando um maiô dourado que não deixava muito espaço para a imaginação. "O que você está *usando*?", perguntou Cowell. Todos deram uma boa risada e depois era o momento da seriedade. Perguntaram a Liam quão nervoso ele estava, e ele afirmou que estava bem. Novamente, o garoto mostrava-se incrivelmente maduro para a idade. Ele brincou com uma bola de basquete durante o tempo livre em Barbados, e refletiu que tinha algo em comum com Troy, o personagem de Zac Efron em *High School Musical*. Assim como Troy, Liam estava tentando equilibrar o amor pelo basquete com o amor pelo canto. "A história de *High School Musical* é, basicamente, a minha história", disse ele. Ele cantou a balada "A Million Love Songs", do Take That, e, como segunda música, "Hero", de Enrique Iglesias. Vestido todo de branco, ele parecia um astro do pop angelical dos pés à cabeça. Quando terminou, Sinitta parecia encantada.

"Adorei ele", disse ela. "Ele tem um rosto lindo — e também uma ótima voz."

Depois da apresentação, Liam disse que tinha certeza de que fizera tudo o que podia. "Estou feliz com o que fiz — vou aceitar o que vier", disse ele. Então, havia uma longa noite à frente para Liam e os outros concorrentes. Eles tiveram de sentar e esperar enquanto, fora do alcance de seus ouvidos, Cowell e Sinitta reduziam os seis concorrentes remanescentes aos três que passariam para os shows ao vivo. Enquanto esperava, Liam descreveu seu sentimento como de torpor. Refletindo sobre o que tinha passado, comentou que a cada estágio seu desejo apenas se fortalecia. "Eu ficava pensando: sou eu que quero mais, sou eu que quero mais", disse ele.

Entretanto, a decisão foi tomada, e Cowell disse a Liam: "Você parece quase um astro do pop perfeito. Eu tomei uma decisão — e tenho más notícias." Novamente, Liam tentou defender seu caso. Mas dessa vez não havia chance — ele estava fora. Depois, Cowell admitiu para a apresentadora do *Xtra Factor*, Holly Willoughby, que tinha ficado "balançado" para passar Liam. Quando Liam assistiu ao show mais tarde, sentiu um conforto significativo por descobrir quão perto tinha chegado, mas, mesmo assim, achou difícil suportar a rejeição. Ele foi para casa e começou a se recompor. Cowell tinha aconselhado que ele prestasse os exames do sistema de educação britânico, continuasse a praticar o canto e voltasse dois anos depois. Liam se preparou para fazer exatamente aquilo. Criou um site para promover a si mesmo e fazia de tudo para comparecer a qualquer apresentação ao vivo que pudesse arranjar.

Ele, com certeza, tinha cativado a imaginação do público. Garotas de escola ficaram encantadas com sua beleza, enquanto tanto sua voz quanto sua determinação haviam impressionado muitos espectadores. No dia em que a fase Judges' Houses foi transmitida, ele foi convidado para o programa matutino da ITV apresentado por Lorraine Kelly, para conversar sobre suas experiências no *X Factor*. Refletindo sobre a experiência geral de visitar Barbados, Liam brincou: "Bom, estava tudo bem até que queimei meus pés", acrescentando que tinha tentado ser cuidadoso com o protetor solar, mas que nunca pensara que pés podiam ficar queimados.

Kelly perguntou quem ele achava que ganharia a edição. Em sua resposta, Liam demonstrou uma compreensão de tirar o fôlego sobre o mercado da música pop. Assinalando a boy band JLS como forte candidata à vitória, ele disse: "Não existe um grupo negro no momento — há uma lacuna no mercado para esse tipo de grupo. Eles são parecidos com a Boys II Men, então, têm uma vantagem internacional." O JLS ficou em segundo lugar no fim da temporada, mas o nível de seu sucesso os fez ser considerados os verdadeiros vencedores. Foi impressionante que Liam, então com 15 anos, tivesse avaliado de maneira tão exata e sábia o apelo e a perspectivas deles.

A decepção do rapaz por ser mandado para casa ainda era visível, e não podia ser evitada ou ignorada. "Foi por tão pouco — foi muito difícil aceitar", contou ele a Lorraine Kelly. Ela comentou sua confiança geral durante a permanência na competição e disse que tudo se resumia ao fato de que ele gostava de cantar — então, por que ficar nervoso por causa de alguma coisa de que gostava? Como sempre é o caso com suas declarações, essa foi simples bom-senso. Ele disse que "adoraria" se inscrever novamente para a edição de 2009. (Isso acabaria não sendo possível, porque o limite de idade seria aumentado para 16 anos em 2009 e ele ainda teria 15 anos na época.)

Mesmo assim, ele certamente planejava retornar logo, e tinha esperanças de ir mais longe na próxima vez. Liam ressaltou que o vencedor adolescente do *Britain's Got Talent* de 2008, George Sampson, tivera de passar por duas edições do programa antes de chegar ao primeiro lugar. Para Liam, esse foi um enorme encorajamento. "Se eu precisar passar por isso mais duas vezes, vou passar", afirmou ele. Comparando sua primeira experiência no *X Factor* "ao trabalho acadêmico", ele previu que sua segunda tentativa seria como uma prova. "Tudo o que tenho de fazer agora", disse ele, "é passar".

• • •

E ele passaria — com louvor.

6 É HORA DE ENCARAR A MÚSICA!

O programa *The X Factor* enfrentou muitas controvérsias e críticas desde sua estreia, em 4 de setembro de 2004. Recentemente, enfrentou programas rivais que tentaram tirá-lo de sua posição privilegiada. Entretanto, ao menos enquanto este livro era escrito, o *X Factor* continuava a ser o principal show de talentos britânico e proporcionava um lucro enorme a todos os envolvidos. De acordo com o suspense que o chefe Cowell gosta de gerar no programa, como franquia ele teve seus altos e baixos. O programa tem tantos fracassos quanto graduados de sucesso. Hoje em dia, um de seus maiores motivos de orgulho é ter lançado a carreira do One Direction.

Antes de tudo isso, o programa foi concebido, criado e lançado por Simon Cowell. Ele tinha obtido fama – e infâmia — no reality show *Pop Idol*, lançado em 2001. Previamente desconhecido fora dos círculos da indústria fonográfica britânica, Cowell rapidamente se destacou com o "Sr. Malvado" do programa, falando com uma honestidade destemida e uma perspicácia tamanha, que rapidamente se tornou o astro do programa. Alguns o odiavam por sua franqueza, outros o amavam pelo mesmo motivo — mas ninguém o ignorava. Após duas edições de *Pop Idol*, ele se tornou uma celebridade nacional. Sua fama foi então estendida aos Estados Unidos, onde suas críticas destruidoras no *American Idol* chocavam e encantavam espectadores mais acostumados a comentários sempre positivos e politicamente corretos.

Enquanto isso, na Grã-Bretanha, Cowell estava desfrutando sua fama, mas também planejava uma maneira de levar as coisas um passo à frente. Como jurado no *Pop Idol*, ele tinha se tornado famoso, mas suas ambições financeiras não conhecem limites, e ele planejou o *X Factor* — uma série na qual não somente seria um jurado, mas também o proprietário e diretor do programa. O programa lançou a carreira de artistas bem-sucedidos como Leona Lewis, Alexandra Burke, G4, Olly Murs e JLS. De fato, também ocorreram alguns fracassos, incluindo Steve Brookstein e Leon Jackson. Outros finalistas, como Joe McElderry, enfrentaram dificuldades antes de conseguir certo nível de fama, e seu sucesso tanto se deveu quanto foi prejudicado com sua associação ao programa.

Das muitas diferenças significativas entre o *Pop Idol* e o *X Factor*, a que mais concerne ao One Direction é o fato de que no segundo, bandas podiam participar. Isso deu ao *X Factor* uma nova dimensão. Dito isso, as bandas nem sempre consideraram a experiência fácil. Como os reality shows são muito focados, em geral, nas dramáticas histórias de vida dos competidores, as bandas achavam difícil criar a intensidade adequada em relação a si mesmas. Embora alguns grupos tenham obtido sucesso no programa — sobretudo os já mencionados G4 e JLS, ambos segundos colocados em suas respectivas edições —, outros descobriram que eram eliminados com muita rapidez assim que os shows ao vivo começavam. Foi apenas na edição de 2011 que um grupo realmente saiu vencedor, o feminino Little Mix. Foi uma banda formada durante a edição, diante dos olhos dos espectadores. Os jurados e os produtores concluíram que muitas das garotas que tinham participado separadamente como cantoras solo ficariam melhores se formassem uma banda. Foi essa mesma tática que uniu o One Direction.

Cada integrante da banda fez sua apresentação como artista solo em 2010. Como vimos, para alguns deles não era a primeira vez. O membro da banda com a história mais significativa no programa era, evidentemente, Liam Payne. Nós o deixamos no capítulo anterior se recuperando da rejeição que teve na edição de 2008. Ele estava canalizando aquela decepção para algo positivo: uma nova tentativa de conseguir ser um astro solo do pop. Ele ainda queria ser o próximo Robbie Williams. Graças à fama passageira que sua experiência no *X Factor* de 2008 lhe proporcionara, ele tinha algo sobre o que trabalhar. Mas ainda não desistira do *X Factor*: na verdade, estava determinado a fazer outra tentativa no show de talentos. Nem mesmo a preocupação de alguns amigos e membros da família que temiam que Liam ficasse devastado se fosse rejeitado novamente — foi suficiente para impedi-lo.

Um jornalista de um periódico local, que encontrou Liam pouco antes de sua apresentação de 2010, descreveu que ele tinha atualizado sua imagem de uma maneira positiva. O jornalista relembra dele "com uma aparência de astro, usando camisetas modernas, skinny jeans e um penteado superestiloso". Ele tinha se esforçado muito entre as duas audições, tanto acadêmica como musicalmente. Ele tinha feito testes importantes no St. Peter's Collegiate School e depois passou a estudar Tecnologia Musical no campus Paget Road da Wolverhampton College. Ele fizera algumas apresentações públicas por causa de sua participação na temporada do *X Factor* de 2008, incluindo uma diante de 29 mil fãs no Molineux Stadium, o lar do Wolverhampton Wanderers Football Club. Essa apresentação aconteceu quando o time da casa jogou uma partida contra o Manchester United. Com audácia surpreendente, ele chegou até a nomear homens que descrevia como "empresários" para guiar sua incipiente carreira.

Após esperar para participar de uma nova audição, em 2010, Liam se tornou uma escolha natural para ser entrevistado e aparecer no programa. Muitos espectadores se lembravam dele e, de qualquer forma, o *X Factor* sempre gostou de concorrentes que retornavam, pois eles aumentam a impressão de "novela" que Simon Cowell gosta de criar no programa. Perguntaram a Liam sobre a rejeição em Barbados. "Acho que Simon tomou a decisão certa, isso me deu tempo para aperfeiçoar o que eu faço", disse ele. "Acho que teria sido difícil fazer os shows ao vivo quando eu tinha 15 anos. Eu nunca tinha estado em um grande palco, mas agora tenho muito mais experiência e estou realmente grato ao Simon por me permitir isso. Agora já sou muito mais maduro e me apresentei diante de grandes plateias."

Dito isto, ele não estava negando que a rejeição tivera um forte impacto. "Foi horrível", explicou, "sei como é ser dispensado". Afirmando abertamente sua prioridade para essa participação, admitiu que havia um homem que ele queria impressionar acima de tudo. Disse que "significaria muito" receber um voto positivo de Cowell. E foi a Cowell que Liam se dirigiu primeiro quando entrou no palco. "Como está, Simon, tudo bem?", perguntou casualmente. "Não vejo você há muito tempo!" Então ele confirmou que fazia dois anos desde que ele fizera a última audição, quando chegou ao ponto de "ir à casa de Simon em Barbados". Ele parecia muito tranquilo e confiante. Por dentro, entretanto, não se sentia tão calmo. Na verdade, mais tarde, ele escreveu que achou estar no palco diante dos jurados um pouco "bizarro" e "surreal". Ele disse que ia cantar "Cry Me a River". Cole presumiu que ele estava falando da música de Justin Timberlake, mas logo soaram os acordes de abertura da canção de Michael Bublé.

Ao final da canção, foi aplaudido de pé tanto pela plateia quando pelos jurados — até mesmo Simon Cowell levantou-se, um acontecimento raro e significativo. Liam estava perplexo — quase caiu no choro ali mesmo, pois suas emoções fervilhavam. Ele se controlou o suficiente para ouvir o que os jurados tinham a dizer. Cheryl Cole foi a primeira a falar. "Seja lá o que estamos procurando neste programa, você tem", disse a ele, para sua alegria. "E achei sua voz muitíssimo poderosa." A jurada convidada Natalie Imbruglia concordou, dizendo que Liam era "impressionante, muitíssimo impressionante", e acrescentando que os outros concorrentes deveriam ficar "um pouquinho preocupados por sua causa". Louis Walsh disse a Liam que estava "muitíssimo feliz" por ele ter voltado. Três jurados em sequência tinha usado a palavra "muitíssimo" para dar ênfase a sua aprovação em relação a Liam. Entretanto, o jurado cuja aprovação ele queria "muitíssimo" era, evidentemente, Simon Cowell.

Walsh passou a palavra a Cowell, implicando puerilmente com ele ao lembrá-lo: "Esse é o garoto que você não aprovou." Cowell confirmou que Liam "não estava totalmente pronto quando foi para minha casa há dois anos", e explicou que o tinha aconselhado a voltar dois anos depois. "Eu estava certo", disse Cowell, que nunca tem medo de parecer presunçoso. Então chegou a hora de os jurados votarem "sim" ou "não". Pelos aplausos de pé que tinham dado a Liam e os comentários efusivos, não havia dúvidas sobre o resultado na mente dos espectadores. Entretanto, para Liam, mesmo assim foi um momento de enorme satisfação e recompensa. Cada "sim" dos jurados o fazia vibrar. Mas nenhum mais do que o veredito final de Cowell: "Baseado em talento — absolutamente incrível", disse ele a Liam. "Um sólido, enorme e onipotente sim." Foi um momento emocionante para o jovem cantor: era praticamente possível ver o peso da decepção causada pela rejeição de 2008 deixar seus ombros.

Então ele voltou aos bastidores, onde o apresentador Dermot O'Leary estava esperando com a família Payne. "Você foi absolutamente incrível", disse-lhe sua mãe. O'Leary, que se lembrava bem do garoto de 2008, parecia quase tão feliz e orgulhoso quanto os Payne. "O garoto virou um homem", ele disse a Liam, que respondeu que era "muito bom" ter "esperado dois anos para fazer isso". Liam estava tão empolgado que disse "meu rosto está doendo" de tanto sorrir. Mesmo em seus sonhos mais loucos, explicou ele, não tinha esperado ter uma reação tão incrivelmente positiva dos jurados. Ele havia ultrapassado suas maiores esperanças e passara à fase seguinte. "Sabe, foi maravilhoso", disse ele. "Simon se levantou por minha causa e foi simplesmente a melhor coisa do mundo."

Depois da audição, ele olhou para seu real significado. "Mudou totalmente a minha vida", disse. Liam acrescentou que se não tivesse refeito o teste, "eu provavelmente estaria trabalhando em uma fábrica hoje". Ele ainda tinha mais emoção a caminho, quando sentou com a família em sua casa em Bushbury para assistir à transmissão de sua apresentação para o país inteiro. "Foi maravilhoso", disse ele. "Minha família me deu muito apoio e ficou muito orgulhosa." Ao sair da audição, ele tinha prometido fazer o melhor possível no Bootcamp, o estágio seguinte da competição. Estava pronto para o restante da experiência. Como vimos, ele usou a fase do Bootcamp em 2008 como oportunidade para fazer contatos. Mal sabia ele que, dessa vez, não apenas faria quatro novos melhores amigos — mas acabaria em uma banda com eles.

• • •

Harry fez a audição em Manchester. Embora tivesse cantado no palco para plateias com a White Eskimo, essa seria uma experiência completamente diferente para ele: haveria uma plateia de cerca de 3 mil pessoas, câmeras de televisão e, claro, os jurados. Até mesmo para o tranquilo Harry, uma experiência potencialmente angustiante o esperava, mas ele tinha muito apoio na forma de um séquito que incluía família e amigos, cada qual usando uma camiseta com o slogan: "Achamos que Harry tem o fator X!" Quanto a Harry, ele usava uma camiseta branca com um cardigã cinza folgado e uma echarpe verde estampada.

"As pessoas me falam que canto bem", Harry comentou com o apresentador O'Leary. Indicando Anne, ele disse: "Normalmente, é a minha mãe." O'Leary comentou: "Mas elas sempre dizem isso!", com o que Harry prontamente concordou. "Cantar é o que quero, e se as pessoas que podem fazer isso acontecer para mim não acharem que eu deveria estar fazendo isso, seria um enorme retrocesso nos meus planos." Ele admitiu que estava tão "nervoso" quanto "empolgado", acrescentando que sentia que só se os jurados lhe dessem sua aprovação ele acreditaria totalmente que possuía talento. Muitos amigos tinham elogiado sua voz, mas apenas se os jurados também o fizessem ele acreditaria completamente que os amigos não estavam "mentindo" para deixá-lo contente.

Enquanto esperava para subir ao palco, Harry disse que a sensação era "surreal" — a mesma palavra que Liam tinha usado para resumir a experiência. Ele ganhou um monte de beijos pouco antes de ir para o palco, algo que achou "meio embaraçoso". Até mesmo O'Leary comentou o constrangimento da situação, perguntando: "Alguém mais quer beijá-lo?" No palco, ele parecia confiante e confortável, dizendo um atrevido "olá!" para os jurados. Mais tarde, ele admitiu que estava "um caco" por dentro. Seu nervosismo lhe deu uma enorme corrente de energia e uma onda natural. Ele cantou "Isn't She Lovely", de Stevie Wonder. Era uma música que adorava havia anos e que tinha ensaiado muito para aperfeiçoar sua performance. Ao contrário da maioria, que faz a audição com músicas de fundo, Harry escolheu cantar *a cappella* — sem acompanhamento instrumental. Ele recebeu uma boa salva de palmas no final. Embora a reação tenha sido contida em comparação à quase histeria que saudou a audição de Liam, de maneira geral ainda foi uma resposta bastante positiva. Harry fez uma reverência sorridente e bem-humorada — um caso de orgulho de brincadeira disfarçando o orgulho verdadeiro.

Ele teria motivos para ficar ainda mais orgulhoso quando ouviu o veredito da convidada Nicole Scherzinger. Ela falou: "Estou muito contente por termos tido a oportunidade de ouvir você *a cappella*, porque pudemos perceber como sua voz é ótima." Harry, acostumado aos encantos de uma mulher elegante, deu um sorriso meio sedutor enquanto agradecia. A seguir, Louis Walsh falou. Como o homem que guiou a carreira de boy bands como Boyzone e Westlife, seu veredito sobre um jovem cantor tinha certa importância a mais. Infelizmente, embora ele tenha começado bem, incluiu uma ressalva importante. "Concordo com Nicole", disse o irlandês. "Mas o considero jovem demais. Não acho que tenha experiência e confiança suficientes." Algumas pessoas da plateia, cuja maioria tinha gostado muito da música de Harry, não ficaram muito satisfeitas com o veredito de Walsh, e deixaram isso bem claro.

Cowell, sempre interessado em uma oportunidade para implicar com seu velho amigo Walsh, pegou a deixa quando chegou sua vez de falar. "Alguém da plateia acabou de dizer 'absurdo', e eu concordo plenamente", disse ele. "Porque o programa é feito para encontrar alguém, tenha 15, 16 ou 17 anos — não importa. Acho que com um pouco de treinamento vocal, você poderia na verdade se tornar muito bom." O sorriso de Harry após esse comentário foi adorável — os jurados ainda precisavam dar seu veredito final, mas ele já tinha recebido o tipo de recompensa que estava esperando. Mas queria passar ao próximo estágio, então esperou ansiosamente pelos votos.

Walsh, à esquerda do painel, falou primeiro. "Harry, por todas as razões certas, vou dizer não", falou ele. Em resposta, houve choque, confusão e revolta da plateia. Cowell os encorajou a vaiar Walsh o mais alto que pudessem. Eles o fizeram, e o próprio Harry se juntou a eles em uma vaia rápida e divertida. Uma reação totalmente diferente das respostas petulantes de alguns que receberam uma negativa no programa, esse foi um momento de provocação atrevida e brincalhona. Na verdade, ele podia se dar o luxo de se sentir tranquilo porque os outros dois jurados já tinham dado uma clara indicação de que o aprovariam. O "não" de Walsh foi rapidamente anulado pelo fato de que tanto Cowell quanto Scherzinger deram a Harry um retumbante "sim". "Eu gosto de você Harry", disse-lhe Scherzinger, para a alegria dele. O momento em que percebeu que tinha passado para o Bootcamp foi, como ele disse, um dos melhores de sua vida até então. Ele tinha conseguido, e quando voltava para sua família, seus amigos e sua torcida nos bastidores, ele os encontrou vibrando de emoção. Harry estava tão extasiado que começou a ser tomado por uma estranha paranoia de que de alguma maneira a decisão seria modificada. Não havia chance de que isso acontecesse.

• • •

Harry não foi o único futuro integrante da banda cuja primeira audição dividiu os jurados: o mesmo aconteceu quando Niall fez a dele em Dublin. Ele era pura adrenalina no dia, pois não tinha conseguido dormir na noite anterior. Sabia que era importante descansar o máximo possível antes de um dia tão importante, empolgante e potencialmente cansativo, mas o sono não vinha. No final, simplesmente desistiu de tentar e se levantou para se arrumar. Ele usou uma camisa xadrez, calça jeans e tênis. Niall chegou ao Convention Centre Dublin ao amanhecer. Estava muito empolgado e nervoso.

Assim como Harry, uma entrevista com Niall foi filmada antes de sua audição. Ele mencionou que fora comparado a Justin Bieber e acrescentou: "Não é uma comparação ruim." Ele disse que queria esgotar ingressos de shows, gravar discos e trabalhar com "alguns dos melhores artistas do mundo". Também falou que sua audição seria o começo de tudo isso. "Se eu passar hoje — vou até o fim!", disse ele, lançando um desafio. De fato, ele parecia muito confiante — quase arrogante. Mas, verdade seja dita, tudo o que aconteceu desde então corroborou essa confiança.

Quando entrou no palco, ele saudou a plateia com um atrevido "E aí, Dublin?", e, então, disse a Louis Walsh: "Estou aqui hoje para ser o melhor artista do mundo." Assim, seu compatriota perguntou: "Então você é um Justin Bieber irlandês?" Niall concordou. Depois disso, ele fez uma brincadeirinha com a jurada convidada Katy Perry. Ele ficou maravilhado por se ver trocando gracejos com uma cantora internacionalmente famosa como Katy. Mal sabia ele que pouco menos de um ano depois ele lançaria seu primeiro álbum, sendo que a faixa-título citaria o nome da cantora.

Quando chegou a hora de fazer sua apresentação, ele cantou o sucesso "I'm Yours", de Jason Mraz. Simon Cowell, que tinha ouvido muitas pessoas fazerem o mesmo nos últimos anos, disse a Niall que era uma má escolha de música e perguntou se ele tinha outra para cantar em vez daquela. Niall disse que sim, e então cantou “So Sick”, de Ne-Yo. Houve um pouco de simbolismo nisso, pois era uma das músicas que Justin Bieber tinha cantado no concurso de talentos Stratford Star que, indiretamente, o tornou famoso. Niall cantou de forma agradável, mas não muito memorável. Seus olhos pareciam fixos nos fundos do estúdio durante a música, em contraste com seus futuros companheiros de banda, que direcionaram sua atenção e sua energia para os jurados durante suas respectivas apresentações.

Será que tinha feito o bastante para impressionar os jurados? Ele mal podia esperar para descobrir. Katy Perry disse a Niall: “Acho você adorável! Você tem carisma — só acho que talvez precise trabalhá-lo. Você só tem 16 anos: eu comecei com 15 e não cheguei ao sucesso até os 23.” Foi um comentário levemente confuso que tornou seu voto final difícil de prever. Cowell também foi bastante ambíguo. “Acho que você está despreparado: escolheu a música errada e não é tão bom quanto pensa que é, mas mesmo assim gosto de você”, disse a Niall, que devia estar achando difícil saber como interpretar reações tão variadas.

Será que Cheryl Cole poderia fazer uma crítica mais positiva? A estrela do pop disse: “Sim, você é obviamente adorável: tem muito charme para um garoto de 16 anos, mas a música era grande demais para você, querido." Todo mundo parecia ter um "mas" acompanhando qualquer elogio que fazia a Niall.

O último jurado a falar foi Louis Walsh. Como conterrâneo, e sendo um homem especializado em empresariar boy bands, ele estaria, Niall esperava, mais propenso a elogiá-lo. "Não, acho que você tem alguma coisa", disse Walsh. "Acho que as pessoas vão gostar muito de você, porque você é 'gostável'." Na história do *X Factor*, esse deve ser um dos vereditos mais... excêntricos. Cowell imediatamente se intrometeu, dizendo em um tom sarcástico e devastador: "Então, as pessoas vão gostar dele porque ele é 'gostável'?" A plateia caiu na gargalhada, assim como Niall. "Ah, cale a boca", retrucou Walsh.

Quando chegou a hora de votar, era difícil saber o que cada jurado diria. Foi Cowell quem falou primeiro. "Bom, eu digo sim", explicou ele. Niall socou o ar como um jogador de futebol, depois beijou a mão e fez o sinal da cruz. Logo depois, ele ficou desanimado quando Cheryl Cole disse "não". O pobre Niall parecia totalmente devastado. Katy Perry deveria ser a próxima a falar, mas Walsh furou a fila e disse a Niall: "Eu digo sim!" Os competidores precisam de um veredito positivo da maioria dos jurados, ou seja, um sim de Katy bastaria para aprová-lo. "Então..." explicou um tipicamente excitável Walsh, "agora ele precisa de três votos positivos!" Perry fingiu apunhalar a si mesma no pescoço, sinalizando o quanto se sentia pressionada. Cowell, que estava observando todo esse drama, adorou. Momentos de tensão como esse são a praia dele: ele caiu na risada por causa da confusão que Walsh tinha provocado.

Perry estava menos animada com a situação para a qual fora empurrada. Seu coração lhe dizia para aprovar aquele garoto adorável — mas sua cabeça advertia que ela tinha a responsabilidade de julgar com integridade. "Posso apenas dizer que concordo com Cheryl, você realmente precisa de mais experiência e, além do mais, ser apenas 'gostável'... não vende discos. É talento — e você tem uma semente disso." Então, ela fez uma pausa, levando Walsh — que nesse ponto parecia quase tão ansioso quanto Niall — a implorar: "Continueeeeeeee!" Perry demorou mais um instante para refletir e disse: "Claro, você está dentro." Niall ficou tão empolgado que deu um salto e começou a comemorar. Quando o microfone captou sua comemoração, a voz era surpreendentemente profunda comparada à que usou para cantar. "Não nos decepcione", avisou Katy enquanto ele saía do palco. Depois de Niall ter se retirado, os jurados continuaram a conversar entre si. "Ele tem charme", disse Cowell. "Ele tem alguma coisa."

É emocionante relembrar o pedido de Perry para que Niall não decepcionasse os jurados. Ele, certamente, os deixou orgulhosos. Depois que sua carreira com o One Direction tornou Niall um sucesso não só no Reino Unido e nos Estados Unidos, Perry tuitou para ele, dizendo: "Parabéns, você não me decepcionou! Bjs"

• • •

Com frequência, os competidores descrevem sua experiência no *X Factor* como sua "jornada". Embora isso tenha se tornado um terrível clichê — tanto que Cowell chegou até a proibir que a palavra fosse usada durante o programa —, em alguns casos é literalmente verdade. Para Zayn, sua "jornada" começou com... uma longa jornada. Para ir de Bradford até sua audição, ele teve de sair às 2 horas, e para se preparar para acordar tão cedo, ele teve de ir para a cama às 16 horas do dia anterior. Seu tio o levou de carro para Manchester onde, assim como Harry, Zayn fez a apresentação e cantou *a cappella*, em vez de usar música de fundo. Ele tinha decidido cantar a música "Let Me Love You" de Mario. Um clássico do

R&B, essa música fez sucesso em diversos países. Ele estava nervoso enquanto se preparava para subir ao palco. Quando entrou, ficou ainda mais nervoso. O tamanho da plateia já o intimidava bastante, e ele ainda teve de absorver o fato de que o sempre franco Simon Cowell estava sentado a poucos metros dele.

"Meu nome é Zayn", disse aos jurados. Então começou a cantar "Let Me Love You". Ele havia ensaiado muito essa música e tinha confiança de que era perfeitamente adequada para sua voz. No palco, deu o melhor de si, e sua interpretação foi o suficiente para levá-lo para o Bootcamp. Walsh disse que tinha gostado de Zayn, e Scherzinger falou que sentira que ele tinha algo "especial". Cowell estava impressionado, mas acrescentou que Zayn precisava ser mais ambicioso. Foi uma crítica justa nesse estágio da relação entre eles. Com o tempo, Cowell acabaria apreciando o fato de que o exterior até certo ponto plácido de Zayn mascara uma alma extremamente ambiciosa, que deseja o sucesso e tudo o que ele proporciona. Na verdade, essa ambição não apenas apareceria como cresceria enquanto Zayn estivesse na competição. O obstáculo mais imediato de Zayn era a votação. Tanto Walsh quanto Scherzinger disseram "sim", e Zayn educadamente agradeceu aos dois. Nesse ponto, com dois votos positivos, ele já estava no Bootcamp, pois tinha a maioria dos três jurados a seu favor. Entretanto, ele estava naturalmente ávido por completar o painel e receber a muito cobiçada aprovação de Cowell. Ele esperou que Cowell falasse com ansiedade "Zayn, meu voto é sim", disse o jurado principal.

• • •

Louis Tomlinson foi um dos últimos competidores a fazer a audição da edição. Existe certa superstição cercando as últimas apresentações, pois na primeira edição de *Pop Idol*, o vencedor, Will Young, tinha sido o último cantor a se apresentar aos jurados. Alguns competidores acreditam que quanto mais tarde se apresentarem, maiores são suas chances. Como Zayn, Louis precisara sair para a audição em um horário inconveniente — no caso dele, teve de sair para Manchester por volta da meia-noite. Seu amigo Stan o acompanhou. Eles dormiram no carro por algum tempo quando chegaram à Manchester MEN Arena e entraram na fila às 4 horas. É um fato significativo que os competidores se disponham a esperar tanto e a chegar tão cedo. Críticos de shows de talentos, às vezes, reclamam que a fama é "dada de bandeja" pelo

X Factor. Mas quantos desses críticos podem dizer que já esperaram horas, começando em um horário absurdo, por uma entrevista de emprego? Ninguém pode desmerecer a dedicação de Louis.

Ele tinha uma aparência muito diferente no dia da audição comparada à de hoje em dia. Para começar, seu cabelo era muito mais comprido. Desde então, ele descreveu o corte cheio, longo e meio mullet que usava naquele dia como "horroroso". Em vez de usar uma camiseta listrada, como ele sempre faz no One Direction, ele estava de camisa e gravata com um cardigã cinza largo e calça jeans. De certa forma, a imagem geral de Louis em sua apresentação estava em algum ponto entre indie cool e garoto-indo-visitar-a-avó-para-pedir-dinheiro. Mesmo assim, de algum jeito, deu certo.

Depois de dormir na fila e ser grosseiramente acordado por um cutucão de outra pessoa que também estava esperando, Louis se viu na sala que foi friamente apelidada de necrotério do *X Factor*. O tempo pode passar muito devagar nessa sala. Finalmente, um membro da equipe de produção apareceu e chamou o número de Louis. De repente, depois de toda a espera, tudo pareceu estar acontecendo rapidamente: antes que pudesse se dar conta, Louis estava esperando ao lado do palco. Então lhe disseram que estava na hora. Quando entrou no palco, repentinamente sentiu um pouco de medo. Como escreveu no livro oficial da banda, sua "boca ficou seca". A maneira como se apresentou, cantando "Meu nome é Louis Tomlinson", demonstrou como estava nervoso. Na verdade, seu sorriso tímido dizia tudo. Não que seu nervosismo tenha sido totalmente desvantajoso: quanto mais tímido, mais adorável ele parece aos olhos de muitas pessoas.

A primeira música que ele cantou foi "Elvis Ain't Dead", do Scouting For Girls, uma canção que se tornara típica do vibrante som indie-pop da banda. Entretanto, antes que Louis pudesse pegar embalo, foi interrompido por Cowell, que achou que seria melhor ele cantar outra música. Como segundo número, Louis tinha escolhido e ensaiado uma música muito mais lenta, "Hey There Delilah", do Plain White T's. Embora essa escolha fosse, nos meses seguintes, criar problemas para ele, nesse dia foi o bastante para conquistar os jurados. Scherzinger demonstrou sua aprovação durante a música, com um grande sorriso enquanto acompanhava, cantando suavemente.

Quanto Louis terminou, Cowell e Walsh disseram que sua voz era "interessante", e Scherzinger fez um comentário positivo sobre sua aparência. Entretanto, havia uma sensação geral de que eles sentiam que ele não era confiante o bastante. Embora Louis atribua isso a sua exaustão no dia, não há dúvida de que a confiança lhe chegou mais tarde na competição. Então vieram os votos e, em comum com a experiência de Niall, foi difícil para Louis saber o que esperar. Seu xará Walsh lhe disse: "Louis... eu digo sim." Scherzinger o imitou, exclamando: "Eu digo sim." Será que Louis conseguiria completar o painel com a aprovação de Cowell? Sim, conseguiu. "Você tem três sim", disse o jurado principal. Todos os membros da futura banda tinham passado.

• • •

Então, o que podemos descobrir sobre os integrantes da banda a partir de suas audições e de suas reações a elas? Um traço recorrente das lembranças dos garotos é um desejo especialmente intenso de conseguir a aprovação de Simon Cowell. Não há nada de muito peculiar nisso — muitos competidores do *X Factor* admitem que é o veredicto de Cowell que esperam mais ansiosamente. Entretanto, parece que os garotos veem o jurado principal um pouco como alguém da família, e, até certo ponto, Simon Cowell sente o mesmo. Ele não é visto como um irmão mais velho, mas como a figura de um "tio" aos olhos da banda. Logo eles passariam a chamá-lo assim.

As coisas andavam bem para os cinco garotos, mas havia águas turbulentas à frente. Ao final da fase do Bootcamp, eles seriam eliminados da competição, depois readmitidos como banda. Na verdade, isso foi como um passeio de montanha-russa para eles. Antes do pico mais alto, os garotos experimentariam a amargura dos vales mais baixos. "Eu os conheci a princípio como artistas solo", Cowell disse mais tarde à revista *Rolling Stone*. "Cada um deles fez ótimas audições individuais. Tínhamos grandes esperanças para dois ou três deles em especial, e então tudo meio que desmoronou nos estágios finais."

Nesse ponto, vale a pena dizer que havia um elemento de "nascimento de uma lenda" por trás da narrativa oficial sobre o que tinha acontecido no Bootcamp. De acordo com a narrativa oficial, os jurados deixaram de acreditar em cada um dos garotos nessa fase. Só depois de eliminá-los, segundo a história, os jurados e produtores consideraram que talvez os garotos pudessem formar uma banda. Parece mais provável que a decisão de formar uma boy band tenha sido tomada um pouco mais cedo.

• • •

A fase do Bootcamp aconteceu na Wembley Arena durante cinco dias em julho de 2010. Um total de 211 artistas tinha passado para as apresentações desse estágio. Do primeiro dia, em 22 de junho, ficou claro que os métodos seriam tão brutais quanto nas edições anteriores. Cada uma das quatro categorias — garotos, garotas, acima de 25 e grupos — recebeu uma música diferente para ensaiar. Os garotos — incluindo os futuros integrantes do One Direction — receberam "Man in the Mirror", de Michael Jackson. É um clássico atemporal do pop e, como tal, foi recebido com reverência pelos garotos encarregados de cantá-la (as outras categorias também ganharam músicas difíceis: as garotas receberam "If I Were a Boy", de Beyoncé; os grupos receberam "Nothing Gonna Stop Us Now", do Starship; enquanto a categoria acima de 25 pegou "Poker Face", o sucesso de Lady Gaga).

Depois que os jurados tinham reunido todos os concorrentes, Simon Cowell lhes disse o que estava em jogo no primeiro dia de Bootcamp. "No final do dia, metade de vocês irá para casa", falou Cowell. "Hoje, vocês serão divididos em categorias e cantarão uma música. Literalmente, não haverá segunda chance hoje." Não é de estranhar que tenha sido um dia tão tenso e difícil. Comparado com as audições de abertura, nas quais os competidores podiam cantar a música que quisessem, agora eles se sentiam criativamente coagidos e sob crescente pressão — que era exatamente como os jurados e a equipe de produção queriam que se sentissem. A fase do Bootcamp não tem nada a ver com justiça e amizade: é uma viagem que deixa todos no limite e cujo objetivo é a sobrevivência do mais forte. Todos os anos acontecem surpresas: alguns competidores que tinham parecido finalistas ou até mesmo potenciais vencedores durante as apresentações repentinamente perdem o encanto e são eliminados, depois de desempenhos fracos. Da mesma maneira, alguns que passaram raspando nas audições de repente tiram carisma e talentos desconhecidos da cartola.

Não são apenas os competidores que surpreendem — os produtores também. Muitas vezes, eles adicionam algo inusitado para acrescentar suspense. Em uma edição, um grupo de concorrentes foi cortado logo no começo do Bootcamp. É de se imaginar sua mágoa e decepção quando perceberam que estavam sendo mandados para casa antes de cantar uma nota sequer, quanto mais uma música. Essas reviravoltas são obviamente planejadas para acrescentar dramaticidade ao programa. Para alguns espectadores, entretanto, são desconfortáveis. Brincar com os sonhos e as emoções das pessoas é, no mínimo, cruel.

Em 2010, a primeira guinada do Bootcamp foi de uma natureza menos brutal. Entretanto, para um dos futuros integrantes do One Direction, ainda estava distante de sua zona de conforto. Os cinco garotos ficaram em êxtase quando cada interpretação de "Man in the Mirror" bastou para passá-los para o segundo dia daquela fase. Houve muitos sorrisos, gritos e comemoração em seus quartos de hotel naquela noite. Sua confiança e seu moral aumentavam a cada dia. Entretanto, o moral de um deles desabou no dia seguinte, quando os competidores sobreviventes souberam que a atividade do dia não seria cantar — mas dançar.

Zayn não foi o único a achar aquela informação extremamente desconfortável e inconveniente. Diversos competidores estavam descontentes por dançar. Entre eles estava a cantora irlandesa Mary Byrne. Entretanto, ninguém reagiu de maneira tão extrema quanto Zayn. O coreógrafo Brian Friedman lhes disse: "Não quero que vocês fiquem assustados: o que vamos trabalhar é sua presença de palco e coreografia." Para Zayn, essa afirmação tranquilizadora chegou tarde demais. Ele estava cabisbaixo, pois detestava dançar: quando esse estágio da edição fosse transmitido, seria o momento em que os espectadores em casa seriam apresentados a ele. Ele foi visto dizendo para a câmera nos bastidores: "Realmente não quero fazer isso, porque detesto dançar, nunca dancei e me sinto um idiota no palco com outras pessoas que claramente são melhores que eu... Não vou dançar!" Enquanto seu desconforto crescia, ele acrescentou: "Quando você tem de se apresentar na frente do Simon e de profissionais que sabem o que estão fazendo e sabem dançar, e coreógrafos profissionais e tal, eu simplesmente não sei..."

Nesse estágio da transmissão, Cowell foi visto percebendo a ausência de Zayn no palco. Na verdade, é mais provável que ele tenha sido avisado sobre o problema pelos produtores: ele tinha dificuldade para lembrar o nome dos competidores mesmo nas finais das edições, então a ideia de que perceberia a ausência de um concorrente em um estágio no qual ainda havia tantas pessoas parece estranha. De qualquer forma, isso provocou mais suspense — exatamente o que alimenta o programa. Também foi uma maneira útil de apresentar Zayn, cuja audição inicial não tinha sido televisionada. Cowell apareceu andando até os bastidores para tentar encontrar o garoto ausente, tendo dito a Louis Walsh e a Brian Friedman para continuar o trabalho enquanto ele procurava Zayn. Quando encontrou, ele perguntou: "Zayn, por que não está lá? Você não pode simplesmente amarelar e se esconder aqui atrás! Zayn, você está estragando sua chance. Estou tentando ajudá-lo. Então, se não conseguir fazer isso agora, nunca vai conseguir, não é? Venha, vamos lá!"

Então eles saíram dos bastidores. Quando Zayn estava para voltar ao palco, Cowell fez um comentário final, parte encorajamento, parte aviso: "Não faça isso de novo, termine o que começou!", disse a Zayn. Eles apertaram as mãos — e foi isso. O primeiro momento de agenciamento entre Cowell e um dos integrantes do One Direction tinha acontecido. Não seria o último.

Quando Zayn começou a dançar, o motivo de ter tentado evitá-lo ficou claro, e Cowell descreveu seus esforços como "constrangedores". Pelo menos uma vez, o temido jurado estava sendo caridoso em vez de sarcástico. Com certeza, dançar não era o forte de Zayn. Entretanto, o fato de que ele tinha sido corajoso o bastante para tentar fazer algo que estava fora de sua zona de conforto impressionou Cowell e os produtores. Eles não gostariam de colocar em uma banda alguém que cedesse sob pressão — assim, embora Zayn pudesse não saber na época, tinha acabado de passar em seu primeiro teste. "Fico feliz que ele tenha agido assim — por ele mesmo", Cowell comentou depois. Os outros quatro garotos tinham feito o melhor que podiam na dança, mas nenhum se destacou. Por exemplo, Cowell descreveu os esforços de Niall como "destrambelhados".

A pressão não ia diminuir tão cedo — e não era apenas Zayn que estava sofrendo as consequências. Como Harry afirmou no programa, quanto mais obstáculos ele ultrapassava, maior e mais intensa se tornava sua ambição. Não era o caso de estar apenas se sentindo feliz por estar ali, ou simplesmente orgulhoso do que tinha conquistado até então. Ele lançava um olhar cada vez mais ardente sobre o que podia ser alcançado. Ele disse para as câmeras: "Quando você passa pelo Bootcamp, entende como o prêmio é grande, então, estar lá nos últimos dias me fez perceber o quanto eu queria ficar — realmente não quero ir para casa agora."

A reviravolta seguinte da edição só afetou nossos garotos de forma indireta, mas é pertinente para a compreensão da edição na qual eles apareceram. Cheryl Cole foi mandada para casa após desmaiar nos bastidores, e mais tarde foi relatado que ela tinha contraído malária em férias na Tanzânia. Ela foi levada para o hospital e soube que teria uma longa recuperação pela frente. Na ausência de Cheryl, Cowell chamou a ex-cantora das Pussycat Dolls, Nicole Scherzinger, para ficar em seu lugar (ironicamente, isso criou uma possibilidade não planejada para um problema que aconteceria no *X Factor USA* do ano seguinte quando, depois de Cole ser dispensada como jurada, foi Scherzinger quem passou de apresentadora para a mesa dos jurados).

Como jurada, Nicole Scherzinger era um rosto familiar para vários dos garotos quando foi apresentada nas audições iniciais de alguns deles, incluindo Harry e Louis. Com Dannii Minogue também ausente, o painel de jurados estava bem diferente do normal. Outra mudança foi que os produtores decidiram não permitir que uma plateia assistisse ao processo. A conta oficial da edição no Twitter enviou a seguinte mensagem: "Devido a circunstâncias incomuns, não convidaremos uma plateia para assistir às apresentações dos concorrentes no Bootcamp do *X Factor*." Isso acrescentou uma dose de suspense ao que aconteceu depois.

No terceiro dia de Bootcamp, os concorrentes receberam uma lista com quarenta músicas, dentre as quais teriam de escolher uma para cantar. Para alguns, foi um presente: ao contrário do primeiro dia, no qual se sentiram restritos, agora estavam livres. Mas aquilo dificultou a vida de outros: eles simplesmente não conseguiam decidir qual das músicas tinham mais vontade de cantar. Assim que escolhiam uma, notavam outra canção interessante na lista. Enquanto podiam estar ensaiando arduamente para aperfeiçoar a escolhida, estavam em dúvida. Era o último obstáculo antes da etapa seguinte — uma péssima hora para perder o foco. Quando chegasse a hora de cantar, eles iriam para o palco individualmente, cantariam e sairiam. Os jurados não fariam qualquer avaliação sobre a performance.

Liam escolheu cantar "Stop Crying Your Eyes Out", do Oasis. Não foi uma escolha difícil para ele. Como vimos, ele adora o Oasis e cantava suas músicas desde pequeno, adotando a famosa postura de Liam Gallagher. Antes de subir ao palco, explicou às câmeras o que estava em jogo para ele. Descreveu sua primeira apresentação bem-sucedida como "um bônus incrível — ainda não consegui colocar os pés no chão". Então, disse que também havia um lado "negativo": "Porque tenho de manter o mesmo nível." Depois de ter tido um ano de preparo para a audição de abertura, teve apenas 24 horas para se preparar para a apresentação seguinte. Ele foi mostrado cometendo um erro durante os ensaios, e Brian Friedman disse que era por causa de "sua idade". Novamente, para Liam, aquele momento seria totalmente dedicado a agradar Cowell. "Quero provar ao Simon que estou aqui para ficar", disse. "Quero mostrar que tenho o que é preciso para brilhar."

Ele subiu ao palco com graça e confiança. "Oi, gente. Como vocês estão, jurados?", perguntou casualmente. Antes de cantar, pediram para ele justificar por que achava que tinha o "fator X". Balançando a perna direita por causa do nervosismo, Liam disse que sentia que era "porque passei por uma dificuldade quando era pequeno — enfrentei um desafio imenso, defini um objetivo para mim mesmo e nunca desisti". Como nas aparições anteriores diante de Cowell, Liam se saiu bem.

Então ele cantou a música do Oasis. Foi uma apresentação que dividiu os espectadores: alguns sentiram que foi um pouco sem graça e chata, muitos acharam a interpretação emocionante e convincente. Certamente, não tinha toda a intensidade de sua audição com "Cry Me a River", mas, como Liam ressaltou, sempre seria difícil fazer jus àquilo, em grande parte por causa da ausência de uma enorme plateia ao vivo dessa vez. De fato, Liam estava começando a colocar um pouco mais de energia na música quando Cowell o interrompeu. Com isso, foi a hora de sair e deixar os jurados debaterem as possibilidades sem sua presença. "Ah, Simon, ele é bom", sussurrou Walsh depois que Liam tinha deixado o palco. "Eu gosto dele. Simon, as garotas vão adorá-lo", acrescentou o irlandês. A linguagem corporal de Cowell demonstrava que ele não estava convencido. "Eu gosto dele, mas o acho meio unidimensional", falou. Walsh continuou a defender Liam. "Ele é um jovem cantor de pub, Simon", disse ele. "Só tem 16 anos."

Mais tarde, Cowell demonstrou que não estava muito convencido. Falando sobre o programa em *The Xtra Factor*, ele disse: "O mundo em que vivemos hoje em dia, comparado ao de um ano atrás, exige que você se destaque dos outros. Então, Liam é um exemplo de alguém que, talvez há um ou dois anos, eu teria considerado um bom concorrente neste programa. Mas agora ele simplesmente me mata de tédio." Estendendo-se no tema, ele disse: "Quando existe um limite para o talento de alguém, como acontece com Liam, você só pode levá-lo até certo ponto, de forma que estará sempre condicionado por isso. Quando se está trabalhando com alguém, isso é frustrante, porque você quer sentir que pode jogar qualquer coisa para a pessoa e ela vai conseguir lidar com ela ou torná-la melhor." Nada disso pintava um futuro promissor para o rapaz.

Assim que ele e os outros quatro garotos — cujas músicas do terceiro dia não passaram no programa — fizeram suas apresentações, chegou o momento de os jurados deliberarem. Por causa da ausência prolongada de Minogue e Cole, algumas mudanças foram feitas no formato. Em vez de passar seis artistas em cada categoria, Cowell, Walsh e Scherzinger concordaram em mandar oito para a próxima fase. Isso refletia parcialmente a confiança dele de que havia muitos artistas cuja permanência no programa valia a pena, e parcialmente para dar a Minogue e Cole a chance de ter uma safra maior de artistas entre os quais escolher. Uma mudança também foi feita nas divisões de idade das categorias. Por sugestão de Scherzinger, a categoria "mais de 25" foi trocada para "mais de 28".

Quando os trinta garotos remanescentes — incluindo Harry, Liam, Louis, Niall e Zayn — foram chamados ao palco, dificilmente poderiam estar mais ansiosos. Zayn chegou esfregando as mãos nervosamente. Liam parecia prestes a desmaiar — ou chorar. Então, os jurados começaram a anunciar os nomes daqueles que tinha passado. Cowell começou chamando John Wilding, depois Scherzinger anunciou o nome de Nicolo Festa. À medida que mais nomes eram chamados, os garotos iam ficando mais nervosos e assustados. Ficou evidente, entretanto, que Louis fez questão de aplaudir e de sorrir educadamente, considerando a alegria de cada competidor que tinha tido a sorte de ter o nome anunciado. Ele deu até um tapinha nas costas de Karl Brown quando este foi aprovado. Sua graça tornou a compreensão da decepção que ele estava sentindo ainda mais desoladora para os espectadores.

No final, só havia mais dois nomes a ser anunciados. Cada um dos cinco garotos torceu para que o seu fosse um deles, enquanto também se desesperava de que esse não fosse o caso. Os últimos dois nomes chamados foram o de Matt Cardle, que acabou sendo o vencedor, e o de Tom Richards. "É isso, rapazes... sinto muito", disse Cowell. Quando Richards deixou o palco chorando de alegria, os competidores remanescentes no palco tentaram aceitar o fato de que estavam fora. Liam, que fora rejeitado no mesmo estágio em 2008, apenas para ser chamado de volta minutos depois, mudava o peso de um pé para o outro desconfortavelmente enquanto encarava a realidade da eliminação. Ele colocou a mão na cabeça e tentou conter as lágrimas. Mas as lágrimas venceram a batalha. Harry parecia estar em choque, e Niall desgrenhava o próprio cabelo, com uma expressão de desespero e aniquilamento gravada no rosto.

Quando Liam saiu do palco, recebeu um abraço solidário de Dermot O'Leary. "Eu só não quero ir para casa", disse ele, em uma voz quase inaudível. "Só não quero ir." Então Harry falou. Embora parecesse estar aguentando um pouco melhor que Liam, como explicou, estava "totalmente arrasado", e sua expressão o confirmava. Niall, enquanto isso, estava mais exaltado. No caso dele, juntamente com a tristeza, parecia haver uma sensação de raiva. "É a pior coisa que já senti na vida", disse. "Ficar ali esperando seu nome ser chamado, e não ser." Quando as lágrimas voltaram a seus olhos, ele se desculpou com o entrevistador e se afastou, cobrindo o rosto com o casaco.

Entretanto, Cowell não estava contente por perder os garotos. "Tive um mau pressentimento de que talvez não devêssemos tê-los perdido e talvez houvesse outra coisa que pudéssemos fazer com eles", explicou mais tarde em uma entrevista à *Rolling Stone*. "E foi então que veio a ideia de que deveríamos ver se eles podiam trabalhar como um grupo." Se a decisão foi tomada no calor daquele momento ou se já era uma opção mais premeditada, estava na hora de botá-la em prática. Uma boy band e uma girl band — que seria nomeada Belle Amie — seriam formadas com alguns dos concorrentes rejeitados. Nos bastidores, a equipe de produção reuniu Louis, Liam, Harry, Niall e Zayn. Eles também chamaram de volta as quatro garotas que formariam a Belle Amie.

Nesse estágio, nenhum deles sabia o que estava por vir. Para Liam, foi um momento especialmente surreal. Assim como em 2008, tinham dito que ele iria para casa apenas para chamá-lo de volta minutos depois. Enquanto eram levados de volta ao palco, alguns dos garotos e garotas roíam as unhas ansiosamente. Os garotos se alinharam no palco. Seus rostos e sua linguagem corporal diziam tudo: estavam tristes por terem sido rejeitados, confusos por estar de volta e, simultaneamente, tentavam manter as expectativas sob controle. Enquanto isso, os jurados olhavam para os dois grupos e se perguntavam intimamente se tinham tomado a decisão certa. Quando Cowell olhou para os cinco garotos, não teve dúvida. "No minuto em que eles ficaram juntos pela primeira vez, tive uma sensação estranha", disse ele mais tarde à *Rolling Stone*. "Eles pareciam um grupo naquele momento." De fato, pareciam. Há algo tocante, e até mesmo misterioso, no jeito como os cinco garotos se mesclaram em uma unidade naquele momento.

Foi Scherzinger que iniciou a explicação. "Olá, muito obrigada por terem voltado", disse ela. "Pela expressão de vocês, está sendo bastante difícil. Pensamos muito sobre isso, consideramos cada um de vocês como indivíduos e sentimos que são talentosos demais para serem eliminados. Achamos que seria uma ótima ideia ter dois grupos separados" Mesmo assim a ficha ainda não tinha caído totalmente para os competidores, então Cowell decidiu esclarecer. "Decidimos mandar vocês para a Judges' Houses", disse a eles. Os cinco garotos tiveram uma explosão de alegria — Louis pulava como um canguru, enquanto Harry caiu de joelhos. Os jurados observavam felizes enquanto testemunhavam o alívio e a empolgação. Então, Cowell decidiu que era hora de dar a eles um choque de realidade. "Meninos, meninos, meninas, meninas — este foi um voto de confiança. Vocês terão de trabalhar 10, 12, 14 horas por dia, todos os dias, e aproveitar essa oportunidade", disse ele. "Vocês têm uma chance real aqui, gente."

Os garotos saíram do palco vibrando, sentindo que tinham acabado de ganhar a Copa do Mundo. Harry falou pelos cinco quando disse a O'Leary: "Eu passei da pior sensação da minha vida para a melhor." Então chegou a hora de se reunirem aos demais competidores que tinham sido aprovados antes. Eles correram para os braços uns dos outros e se abraçaram. A vida era ótima. Entretanto, haveria mais uma barreira para os garotos enfrentarem. Pediram que eles tivessem absoluta certeza de que estavam satisfeitos por se tornar uma banda. Afinal de contas, cada um tinha feito a audição como artista solo. Ninguém queria uma banda com um integrante que não gostasse da ideia de se apresentar em uma unidade, então foi uma decisão sensata encorajar cada um dos garotos a pensar bem. Foi Liam quem demorou um pouco para tomar a decisão. Desde sua experiência no *X Factor* de 2008, ele tinha trabalhado duro para construir o início de uma carreira solo. A princípio, sentiu que era impensável deixar para trás todo aquele trabalho e se unir a um grupo. Ele considerou, pediu conselhos àqueles que respeitava e confiava mais e, então, chegou a uma decisão clara: estava dentro. Nesse momento, a banda foi oficialmente formada.

O marco seguinte veio quando os jurados foram informados da categoria que monitorariam pelo restante da edição. A equipe de produção telefonou para cada um deles com as notícias, e Simon Cowell soube que ficaria com os grupos. Tradicionalmente, os grupos são vistos como uma das duas categorias mais fracas — juntamente com a categoria solo dos mais velhos. Embora soubesse que o One Direction era um projeto forte, Cowell se ateve ao script, reagindo com sarcasmo à notícia, dizendo: "Obrigado por recompensar todo o meu esforço no programa este ano." Quando o episódio foi transmitido, os espectadores do *X Factor* adoraram o drama que cercava a formação do One Direction e do Belle Amie. Entre os espectadores estavam os integrantes das bandas e seus familiares. A mãe de Louis, Johannah, disse à imprensa local: "Fizemos uma festa em família para assistir ao estágio do Bootcamp do programa no domingo e estamos muito orgulhosos de Louis e dos garotos. Ele está animadíssimo, não consegue acreditar que chegou tão longe."

• • •

Para a fase Judges' Houses, a banda viajou a Marbella, na Espanha, para se apresentar para Cowell. Para quem se sai bem nesse estágio do processo o prêmio é imenso: um lugar na fase de shows ao vivo. Para os que não obtiverem sucesso, a decepção é igualmente grande. Como Liam sabia, e qualquer jogador de futebol poderia confirmar, perder na semifinal é pior do que perder na final. Para os concorrentes do *X Factor*, o mesmo vale para a Judges' Houses que, na verdade, são as semifinais. Os garotos estavam nervosos e empolgados — sobretudo Zayn, pois era sua primeira viagem ao exterior. Ele precisou tirar o passaporte especialmente para a ocasião. Mas garotos são sempre garotos, então houve alguns momentos divertidos em Marbella — embora tenham sido bastante exagerados os relatos dos tabloides de que a casa de Cowell foi destruída. Entretanto, eles tiveram tempo de ir à praia. Louis e Zayn se lembram com saudades de se sentar juntos comendo pizza e olhando o mar.

Entretanto, eles haviam viajado até ali para trabalhar e estavam determinados a ter sucesso. E teriam, em grande estilo. Eles não só convenceriam Cowell de seu talento, mas o deixariam perplexo. Mais tarde, falando à revista *Rolling Stone* sobre a história da banda, Cowell foi perguntado quando percebeu pela primeira vez que a banda poderia se tornar grande. A resposta: "Quando eles foram à minha casa na Espanha e se apresentaram, depois de mais ou menos um milésimo de segundo. Tentei apenas manter uma expressão impassível para acrescentar um pouco de tensão ao programa."

Em sua apresentação, os garotos cantaram "Torn", originalmente um sucesso da cantora australiana Natalie Imbruglia, que tinha sido uma jurada convidada na audição de Liam em um ponto anterior da edição. Mas houve suspense antes da apresentação, quando Louis foi espetado por um ouriço-do-mar enquanto os garotos brincavam no oceano. A princípio, ele achou que tinha cortado o pé em uma pedra afiada ou em um caco de vidro. Entretanto, quando acordou no dia seguinte, ficou horrorizado ao descobrir que seu pé tinha inchado, chegando ao dobro do tamanho normal. Quando se levantou para cuidar daquilo, ele caiu. Pediu ajuda e foi levado para o hospital, onde recebeu uma injeção. O choque da dor causada pela agulha foi tão intenso que disseram que o pobre Louis vomitou.

Enquanto isso, o restante da banda esperava ansiosamente para ver se poderia se apresentar. Quando o viram voltar do hospital, ficaram tão felizes que o sufocaram com abraços, o ergueram no ar e o carregaram para a apresentação. Cowell logo notou que Louis mancava levemente quando eles chegaram para cantar. Louis garantiu ao jurado que estava bem. Então eles cantaram. Liam fez os vocais no primeiro verso, Harry ficou com a ponte e depois os cinco cantaram durante o refrão. Enquanto balançavam os quadris durante o refrão final, de repente a banda pareceu surpreendentemente convincente como unidade, considerando o pouco tempo da banda e a pouca idade de seus integrantes.

Ao final da música, Cowell não deu nenhuma pista aos garotos, limitando-se a dizer: "Vejo vocês depois." Entretanto, quando eles saíam da apresentação, Cowell estava lutando para conter seu entusiasmo. Tanto ele quanto sua assistente Sinitta demonstraram empolgação em relação ao que tinham visto. "No segundo em que eles saíram, eu pulei da cadeira", relembrou ele na *Rolling Stone*. "Eles simplesmente tinham alguma *coisa*. Tinham uma confiança. Eram divertidos. Eles fizeram os arranjos sozinhos. Eram como um grupo de amigos, e eram também meio destemidos." Não foi preciso pensar muito para decidir se colocava o One Direction nos shows ao vivo.

Mesmo assim, quando chegou a hora de lhes dar a notícia no dia seguinte, naturalmente Cowell fingiu indiferença, para aumentar o suspense para eles e para os espectadores. "Minha cabeça está dizendo que é um risco, e meu coração está dizendo que vocês merecem uma chance", disse ele. Os garotos ficaram esperando, prendendo o fôlego de tanta ansiedade. Liam estava especialmente tenso — ele não queria ir para casa nesse estágio pela segunda vez. "E é por isso que foi difícil. Então tomei uma decisão. Rapazes, vou seguir meu coração, vocês passaram!"

O urro que veio dos garotos enquanto eles comemoravam disse tudo. Então foram celebrar com Cowell — Harry foi o primeiro a chegar aos braços de seu mentor. "Estou muito impressionado com vocês, de verdade", disse Cowell. Quatro dos recém-confirmados finalistas pularam de roupa e tudo na piscina ao lado. "Nós enlouquecemos", relembrou Liam. Louis, ainda se sentindo mal por causa do ferimento, decidiu não se juntar a eles na água.

No avião para a Inglaterra, os integrantes da banda estavam exultantes. Eles tinham passado para os shows ao vivo e logo estariam cantando diante da nação. Era, para usar a frase dita no começo de cada *X Factor* ao vivo: "Hora... de encarar... a música!"

7 AO VIVO!

Na verdade, as coisas mais assustadoras que os concorrentes encaram nos shows ao vivo não são "a música" nem os jurados. Mas o voto do público. Os shows ao vivo são uma experiência empolgante para todos os artistas. Não apenas eles se apresentam para a plateia que está presente e uma audiência de milhões no horário nobre da TV, como também enfrentam avaliações semanais de cada um dos quatro jurados. Após lidarem com tudo isso, encaram o voto do público. As linhas telefônicas são fechadas depois de 24 horas, e os dois artistas que receberem menos votos ainda precisam cantar uma última vez antes que os jurados decidam qual dos dois será mandado para casa. Enquanto se preparavam para o primeiro final de semana, os garotos estavam apenas torcendo para passar para a segunda. Mal sabiam eles que teriam dez semanas de shows ao vivo pela frente, e que chegariam à grande final.

A cada semana, os jurados dariam sua opinião sobre eles. Ainda que as avaliações fossem basicamente positivas, cada jurado tinha suas peculiaridades, com as quais os garotos se acostumariam enquanto o tempo passava. Por exemplo, Louis Walsh tinha o hábito de julgá-los como "a próxima grande boy band". Suas opiniões elogiosas só eram influenciadas por uma tendência de implicar com Simon Cowell à custa deles. Mas Dannii Minogue era a mais crítica entre os jurados. Ela nunca era dura e suas observações eram justas, corretas e voltadas para obter o melhor da banda. Era a mais franca e a menos influenciada pela obsessão por One Direction. Cheryl Cole, por sua vez, estava sempre confessando sua admiração crescente pelo grupo. Cowell continuava confiante como sempre. Como mentor da banda, sem contar o rei do universo do *X Factor*, ele tinha costas largas — tanto literal quanto metaforicamente —, enquanto seus jovens prodígios tiravam de letra, semana após semana. Vamos começar pelo começo...

PRIMEIRA SEMANA

TEMA: MÚSICAS NÚMERO 1 DAS PARADAS DE SUCESSO

Na primeira semana, a banda cantou "Viva La Vida", do Coldplay. Foi uma escolha de música que pegou muitos espectadores de surpresa. Assim, uma declaração ousada foi feita logo de início: aquela não seria mais uma boy band sem imaginação. Pode ter sido tentador dar a eles uma balada do Westlife, um hino do Take That ou algo vibrante do The Wanted. Mas, em vez disso, eles receberam uma música do Coldplay. "Não é o tipo de música que você conectaria a essa banda, mas, estranhamente, funciona", disse Cowell, durante o VT de introdução, o breve vídeo personalizado que passa imediatamente antes da apresentação de cada concorrente. Zayn explicou que estava preocupado de perder sua deixa. Ele se sentia bastante apreensivo pelo tamanho e a intensidade da expectativa do primeiro show ao vivo.

Conforme o drama do VT crescia, Cole disse: "Esses meninos precisam mesmo ir lá e fazer bonito — é muita pressão!" A banda ficou esperando que as portas no fundo do palco se abrissem. Do outro lado dessas portas estavam a plateia, os jurados e as câmeras que os transmitiriam para as casas de milhões. Harry estava tão nervoso que tinha vomitado. Entretanto, como Louis explicou, a banda estava concentrada na própria canção em vez de se preocupar com os concorrentes. Foi uma atitude sábia, e tinha chegado a hora de se apresentar.

Quando a banda apareceu e cantou a música, cada garoto demonstrava uma emoção diferente. Liam, no centro de tudo, parecia magistral e equilibrado. Sua experiência superior em apresentações ao vivo e na televisão era evidente. No decorrer da música, quando a performance ficou um pouco desanimada, foi ele que instigou os outros integrantes da banda a se esforçarem mais. Harry, por sua vez, mostrou seu nervosismo com uma presença de palco intensa, quase agressiva. Conforme ele movia o ombro com o ritmo, sua expressão tentava, sem sucesso, esconder o nervosismo. Zayn, como era previsto, pareceu preocupado nos segundos que antecederam sua deixa, mas depois de conseguir entrar corretamente, ele começou a parecer mais feliz e acertou o passo.

Os que nos deixa com Louis e Niall. O jovem Tomlinson parecia simplesmente deslumbrado por estar ali, mais ou menos relaxado por estar no palco e com seu habitual senso de humor. Talvez a combinação de ser o integrante mais velho do grupo com suas responsabilidades relativamente menores durante a música tenha criado uma sensação de conforto. Niall, por sua vez, conseguiu sorrir durante toda a apresentação. Poucas vezes alguém pareceu mais feliz por estar em uma banda. Seu sorriso se revelava não apenas através de seus lábios, mas também em seus olhos, que brilhavam de alegria. Mesmo quando cantou sua parte da letra, que fala de tristeza e decepção, continuou a sorrir. Essa incongruência foi perdoável nas circunstâncias — era simplesmente agradável ver alguém se divertindo tanto.

Quando a banda se posicionou para o solo de Liam no final, todos já estavam sorrindo de animação, satisfação e alívio por terem conseguido apresentar a música tão bem. No final, eles se abraçaram, sem diferir em nada de um grupo de garotos no parque ao final de uma partida de futebol. Eram esses momentos que relembravam aos espectadores ao que eles estavam assistindo: um grupo de meninos em idade escolar no comecinho da carreira. Isso os tornava ainda mais impressionantes e encantadores, porque lhes concedia uma identidade de "coitadinhos", facilitando ainda mais atrair o voto do público.

Os jurados aplaudiram, e Cowell sorriu com um orgulho paternal. Louis disse a eles: "Uau, rapazes, quan do eu soube que vocês iam cantar Coldplay pensei que era um risco muito grande! Adorei o que fizeram com a música — vocês a tornaram totalmente sua. Acho ótimo que estejam se conectando, mesmo que Simon vá alegar que juntou a banda: originalmente, foi ideia minha, Simon. Foi, sim! Garotos, acho que vocês têm o potencial para se tornar a próxima grande boy band, mas têm muito trabalho a fazer." Mas não deixou de acrescentar uma crítica: "Mas, Simon Cowell, não estou muito certo sobre o estilo! Você contratou um estilista?" Enquanto a plateia dava algumas vaias de brincadeira, Walsh endureceu o rosto e projetou o queixo.

Então Dannii Minogue falou: "Garotos, não sei de quem foi a ideia, porque eu não estava lá, mas vocês se encaixam bem juntos, são a banda perfeita", disse ela. Os garotos ficaram tão empolgados com a avaliação que parabenizaram uns aos outros. Seu entusiasmo era contagiante. "Essa música foi fantástica, e vocês, de fato, a tornaram sua", acrescentou a australiana. Cheryl Cole sentia o mesmo. "Tenho de concordar com Dannii, parece que vocês estavam destinados a ser um grupo", disse ela, para êxtase do One Direction. "Acho que as garotas vão ficar loucas por vocês, mas vocês precisam de um pouco mais de tempo para se desenvolver como grupo, é só isso. Só um pouco mais de tempo."

Então, seu mentor fez a própria contribuição. "A respeito do seu papel em juntar o grupo, Louis, vamos rever as fitas", disse Cowell. Walsh desafiou-o dizendo que ele deveria mesmo. "Vocês se juntaram porque suas audições no Bootcamp não foram boas o bastante, mas vocês eram bons demais para serem descartados", continuou Cowell. "Nós nos arriscamos, e tenho de lhes dizer que o impressionante foi quando vocês começaram a estragar tudo: no final, um de vocês, Liam, interveio e todos voltaram ao ritmo juntos. É isso o que as bandas fazem." Então ele passou aos comentários de Walsh sobre o estilo: "Louis, não quero mandar no estilo da banda desse jeito. Pedimos a eles para fazer o que quisessem — não vou interferir, eles vão fazer do jeito deles. Foi brilhante, rapazes."

No palco, Dermot O'Leary se juntou à conversa, dizendo: "Louis, com todo o respeito, como você sabe o que garotos de 18 anos deveriam vestir? Por favor, cara!" Harry se afastou da disputa e resumiu o que a banda estava pensando: "Foi a melhor experiência de nossas vidas", disse ele. Mais tarde, Zayn refletiu que cada integrante da banda estava "vibrando" quando saiu do palco. Cada um deles tinha acabado de receber a maior dose de "embriaguez de performance" de suas vidas.

Na noite seguinte, eles esperaram nervosos seu destino enquanto o voto do público era anunciado. Quando a edição acabou, Liam disse que a espera pelo resultado do voto do público na primeira semana foi a que o deixou mais nervoso. Eles sobreviveram ao voto e passaram à segunda semana. Menos sorte teve Nicolo Festa, que partiu automaticamente depois de ter o menor número de votos e o FYD, que perdeu para Katie Waissel quando cantaram a música final.

Enquanto isso, Cowell tinha percebido algo muito especial no One Direction — eles estavam atraindo rapidamente imensas quantidades de fãs. "Era incomum porque, em um instante, tínhamos centenas de fãs do lado de fora do estúdio", ele diria mais tarde à *Rolling Stone*. "Isso não acontece com muita frequência." Expandindo a troca que tinha com Walsh sobre o estilo da banda, ele explicou: "Eles tinham bom gosto e entendiam o tipo de grupo que queriam ser. Não queriam ser moldados. Também não estou interessado em trabalhar com pessoas assim." Os primeiros sinais eram todos positivos.

SEGUNDA SEMANA

TEMA: HERÓIS

Na segunda semana dos shows ao vivo, restavam 14 artistas. Esse número era, em si, um lembrete para o One Direction e seus companheiros de competição da escala do desafio: mesmo tendo eliminado dois artistas na primeira semana, ainda havia 13 outros para ver pelas costas antes que um vencedor fosse coroado. Todos teriam de trabalhar muito. Foi uma semana difícil para a banda, porque Harry teve outro ataque de nervos durante a checagem de som. Ele não conseguia respirar direito e sentiu que ia vomitar outra vez. É digno de nota refletir que Harry, que hoje é a figura central e muitas vezes é quem faz menos esforço para parecer confiante na banda, foi o que mais teve dificuldades com a pressão no começo. Foi uma surpresa para ele também, pois nunca tinha sido tão afetado pelo nervosismo antes a ponto de sua capacidade de se apresentar ser posta em dúvida.

A música da semana foi "My Life Would Suck Without You", de Kelly Clarkson. Havia um bom simbolismo por trás da escolha dessa canção: Clarkson, que venceu a primeira edição de *American Idol*, é uma das vencedoras mais bem-sucedidas da história dos shows de talentos televisivos. Entretanto, como era a música de uma cantora solo, novamente foi uma escolha improvável. A banda a apresentou bem. Eles estavam animados no começo. Quando Liam cantou o verso de abertura, a câmera filmou os outros. Imediatamente, mostrou Niall e Louis sorrindo novamente, enquanto Harry estava apenas acompanhando a música. Zayn? Ele parecia misterioso e sensual. No final da música, o alívio e a alegria de todos os integrantes era palpável. Então Zayn pode ter cantado uma nota não muito perfeita — o importante é que eles basicamente tiraram de letra. Louis deu ao nervoso Harry um abraço protetor.

Walsh, como de hábito com artistas dos quais não é mentor, foi o primeiro a falar. "Bom, One Direction, vocês parecem estar se divertindo no palco", disse. "Todas as garotas do país vão adorar. Meu único problema é com seu mentor, Simon. Kelly Clarkson é uma heroína? Simon, por quê? Foi uma música estranha. Meninos, vocês são muito, muito bons, mas acho que Simon Cowell poderia ter escolhido uma música melhor." Quando a pantomima de vaias soou, Dannii Minogue disse: "Meninos, talvez ela seja a heroína musical de vocês. Tenho de dizer que vocês são cinco destruidores de corações. Vocês ficam ótimos juntos, e Harry, seja qual for seu nervosismo, tenho certeza de que você e seus amigos vão apoiar um ao outro. A verdadeira prova para uma boy band como vocês será cantar sua grande balada, então, estou ansiosa para ouvi-la." A banda agradeceu pela avaliação dela — até porque também estavam morrendo de vontade de cantar uma balada.

"Eu nem aguento de tanto que vocês são lindos. Sério, não aguento!", disse Cheryl Cole. Harry juntou as mãos em um gesto de que suas orações tinham sido atendidas. "Tenho vontade de ir até aí e abraçá-los. Vocês são tão fofos que eu passei o tempo todo assistindo e pensando: 'Que adorável!'" Enquanto isso, Cowell comicamente a afastava dos meninos dizendo: "Não... não... não!" Quando chegou sua hora de julgar, ele fez à banda um elogio colossal. "Deixem-me dizer que vocês são a melhor banda pop do país hoje em dia", disse a eles, que ficaram surpresos e perplexos. Liam, em particular, parecia aturdido pela declaração. "Estou falando sério — não há nenhuma dúvida quanto a isso." Cowell nunca foi de medir seus comentários: os artistas tendem a ser os melhores ou os piores que ele já viu na vida. Mas ninguém no estúdio estava deixando aquilo atrapalhar sua animação. Enquanto a plateia aplaudia as palavras de Cowell, Harry teatralmente os incentivou a comemorar mais alto. Houve aplausos ainda mais altos e as comemorações foram muitas quando o One Direction foi novamente aprovado pelo voto do público.

TERCEIRA SEMANA
TEMA: PRAZERES SECRETOS

Os garotos relataram a experiência insana que desfrutaram e suportaram com os outros finalistas durante um passeio de compras à luxuosa Topshop da Oxford Street no decorrer da terceira semana. Foi seu primeiro encontro real com a histeria que aumentava entre a crescente base de fãs. Quando chegaram, os gritos das garotas eram ensurdecedores. Nos anos seguintes, isso pareceria peixe pequeno para a banda, mas na hora foi quase aterrorizantemente intenso. "Ele piscou para mim, ele piscou para mim, ele piscou para mim!", gritava uma das garotas, convencida de que tivera "um momento" com um dos integrantes da banda. Louis contou que eles ficaram "absolutamente cercados por garotas adolescentes – o que não é nenhum problema!". E, além disso, havia roupas de graça, que foram oferecidas a eles durante o passeio. O relacionamento íntimo de Simon

Cowell com o dono da Topshop, Sir Philip Green, foi responsável por esse passeio aparecer na edição.

Voltando à música, Cowell explicou que durante a semana ele tinha mudado a canção que a banda ia cantar. Como sempre, no *X Factor*, uma decisão sem importância como essa foi promovida e dramatizada como um obstáculo de importância quase cinematográfica. Tendo apresentado esse fato como um desafio que, nas palavras de Dannii Minogue, muitos artistas não conseguiriam superar, a banda recebeu aquela identidade inestimável em um show de talentos: os coitadinhos.

A nova música era "Nobody Knows", da Pink. Com uma canção mais melancólica, a banda — até mesmo Louis e Niall — pareciam mais sérios e emotivos do que nas semanas anteriores. Era o mais próximo que o One Direction tinha chegado ao padrão das boy bands: a balada. No clímax da música, os produtores usaram até fogos de artifício atrás deles. Louis não conseguiu resistir a se virar e dar uma olhada quando eles começaram.

Talvez o aspecto mais significativo dessa apresentação tenha sido que Harry cantou sozinho algumas partes. Enquanto Liam ainda era praticamente o líder da banda, a confiança de Harry estava aumentando e, com ela, também seu lugar na hierarquia do One Direction.

Walsh homenageou a liderança de Liam em sua avaliação. "Vocês só precisam sair do palco: todo mundo está gritando", disse o irlandês. "Vocês são como cinco Justin Biebers! E, Liam, foi um vocal principal brilhante!" Minogue observou que eles estavam "vivendo um sonho". Cole, entretanto, roubou a noite com seu comentário, que deixou a plateia e a banda extasiadas. "Querem saber do que mais, meninos?", perguntou ela. "Preciso desabafar: vocês são meu prazer secreto!" Um elogio da deslumbrante Cole: era a prova irrefutável de que a banda estava de fato vivendo um sonho. Cole acrescentou: "Sempre que os Beatles iam a algum lugar, eles causavam aquele nível de histeria. Vocês estão ganhando confiança, estou ansiosa para vê-los melhorar ainda mais."

Cowell estava orgulhoso como sempre. Depois de explorar ao máximo a questão da troca da música, ele disse: "Preciso lhes dizer que, além de ter sido uma apresentação incrível, achei que vocês tiveram uma melhora gigantesca vocalmente." Nos bastidores, depois da apresentação, Harry falou animadamente sobre outra semana de elogios dos jurados. "Os comentários foram absolutamente maravilhosos", comemorou ele. "Para continuarmos na competição, temos que melhorar a cada semana."

Mantendo o espírito da semana, perguntaram à banda quais seriam as três músicas que eles próprios escolheriam como prazer secreto. Eleitos como prazer secreto de Cole, eles, por sua vez, revelaram que a música que seria seu maior prazer secreto era "Greased Lightning", cantada por John Travolta. Atrás dessa vinha "Tease Me", de Chaka Demus & Pliers, e em terceiro lugar estava o sucesso pop irritantemente grudento e brega "I'm Too Sexy", do Right Said Fred.

Para a crescente base de fãs deles, o One Direction não era um prazer secreto e, sim, orgulhoso. Garotas de todo o país alardeavam seu amor pela nova boy band. E quanto aos meninos, eles passaram para a terceira semana depois que o voto público foi anunciado. Eles tinham visto a jurada Cheryl Cole se apresentar ao vivo durante os shows do final de semana. O tipo de fama icônica de que ela desfrutava era exatamente o que eles desejavam desde o dia em que tinham se inscrito no programa. Agora, tendo sobrevivido aos temidos dois menos votados por duas semanas consecutivas, sua confiança estava realmente crescendo. Embora tentassem manter os pés no chão, eles começaram a se atrever a acreditar. A sorte estava lançada.

QUARTA SEMANA

TEMA: HALLOWEEN

Os temas para os shows ao vivo do *X Factor*, às vezes, são bem pouco criativos, mas para a terceira semana da edição o tema "Halloween" prometia mais diversão que de costume. Durante a semana, os concorrentes tinham visitado o London Dungeon, e Niall em especial ficou bem assustado com a experiência. A noite de sábado, com músicas como "Thriller", de Michael Jackson; "Bat Out of Hell", de Meatloaf; e "Bewitched", de Steve Lawrence, entre as que foram cantadas, e cenários assustadores incluindo vampiros, bruxas etc., foi uma noite demoníaca. O One Direction cantou o sucesso "Total Eclipse of the Heart", de Bonnie Tyler. Como o Westlife já tinha feito um cover dessa música, ela tinha mais a ver com uma boy band.

Com uma maquiagem fantasmagórica e vampiresca, os garotos se encaixavam perfeitamente em um palco coberto com gelo seco. Embora Harry estivesse no centro do alinhamento, novamente foi Liam quem liderou os vocais. Niall entrou com algumas frases de apoio e Zayn também emprestou sua voz aveludada. Os aplausos da plateia ao final da canção foram claramente mais altos e duradouros do que para qualquer outro artista naquela noite. Ao ouvir aquela aclamação, a banda se mostrou mais orgulhosa e confortável do que nunca.

"Estou adorando todas essas coisas de *Crepúsculo* e vampiros ao fundo", disse Walsh, iniciando a avaliação dos jurados. "Simon, está mesmo funcionando." O fato de Walsh não implicar com Cowell em relação ao grupo demonstrou que eles tinham se tornado um projeto importante. Minogue acrescentou: "Vocês ficaram lindos de vampiros — quero ir para a festa de vocês!" Quanto a Cole, ela também falou com animação sobre o potencial comercial da banda: "Não importa aonde vou, alguém, seja uma senhora, uma moça, crianças... todo mundo fala do One Direction. Acho que vocês têm um caminho muito longo nessa competição."

A tarefa de resumir a performance da banda ficou para seu orgulhoso mentor. "O que realmente admiro em vocês", começou Cowell, "é que sei que as pessoas estão sob pressão quando entram em uma competição como esta. Vocês devem se lembrar de que têm 16, 17 anos.

A maneira como se comportaram: não acreditem no alvoroço... Trabalhem duro, ensaiem. Sinceramente, é um enorme prazer trabalhar com vocês". Dermot O'Leary definiu a atmosfera, limitando-se a dizer: "Uau!" No programa da noite seguinte, Harry falou: "Ontem tivemos uma sensação maravilhosa. Temos uma chance real de mostrar nossos vocais e esperamos que os fãs em casa votem e nos mantenham aqui, porque realmente não queremos ir para casa agora."

Os fãs em casa votaram. A banda estava na luta por mais uma semana.

QUINTA SEMANA

TEMA: HINOS AMERICANOS

Se houve uma semana na qual o One Direction realmente marcou sua reputação na competição foi a quinta. Eles ficaram com o último bloco — o bloco dos sonhos — da noite, muito valorizado porque significa que a apresentação acontece poucos minutos antes de as linhas se abrirem para o público votar. Com a performance ainda fresca na mente dos espectadores, existe uma boa chance de obter um grande número de votos.

"Vocês sabem o que dizem sobre deixar o melhor para o final", falou Cowell, apresentando-os com aquele seu sorriso que combina um toque de orgulho e um bocado de presunção. Estava evidente que Cowell acreditava que algo especial viria a seguir.

E certamente viria. Seguindo um VT introdutório que mostrava os garotos fazendo bagunça na casa onde estavam os concorrentes — incluindo algumas cenas gratuitas de Harry e Zayn só de cueca —, eles apareceram no palco para cantar o sucesso "Kids in America", de Kim Wilde. Usando roupas coloridas, incluindo clássicas jaquetas de beisebol americano, e com líderes de torcida atrás deles, os garotos de fato pareciam uma banda vinda do outro lado do Atlântico. Eles se encaixariam muito bem em uma série de TV da Disney ou até mesmo em *High School Musical.* Saíram do palco em certo ponto, cantando em uma plataforma elevada atrás dos jurados, o que os deixou a apenas centímetros da plateia histérica.

Foi uma apresentação de grande peso. A maneira como Harry pulou no final da música, batendo o pé no chão desafiadoramente na última nota resumia a confiança deles. Walsh disse à banda quanto eles já tinham ido longe. "Ouçam, em todo lugar que eu vou há histeria se acumulando sobre a banda", disse ele. "Vocês me lembram um pouco o Westlife, o Take That, o Boyzone... e podem ser a próxima grande banda." Minogue se afastou um pouco da já mencionada histeria para fazer um julgamento mais ponderado. "Não acho que vocalmente esta tenha sido a melhor apresentação da noite, mas foi uma grande performance", disse ela. Cole disse ao One Direction: "Vocês me animaram demais e alegraram minha noite, adorei a apresentação. Vocês são incríveis, meninos: adoro conversar com vocês nos bastidores, são simplesmente bons rapazes, ótimos rapazes." Então, o orgulhoso tio Simon declarou: "Esta foi, sem dúvida, a melhor apresentação de vocês, de longe."

De repente, o futuro parecia brilhante, embora uma sombra tenha sido lançada quando alguns espectadores acusaram a banda de dublar durante a interpretação da música de Kim Wilde. Eles ressaltaram que, em certo ponto da música, Zayn parecia ter perdido sua deixa, mas mesmo assim sua voz foi ouvida antes que ele levasse o microfone à boca. O Twitter rapidamente se agitou com acusações de que a banda estava dublando. No devido tempo, Shayne Ward, vencedor de uma edição

(De cima para baixo, da esquerda para a direita)

Cinco artistas solo, Niall, Harry, Louis, Liam e Zayn se tornam uma banda: nasce o One Direction.

Os garotos se tornaram amigos rapidamente
e não demorou muito para desenvolverem um estilo próprio.

Acima: Encantados com as fãs: posando com o mentor Simon Cowell, que levaria os garotos à final do *X Factor.*

Abaixo: Nicky Byrne e Shane Filan, do grupo Westlife, oferecem seu apoio aos rapazes.

Acima: Os garotos ficaram surpresos com a recepção das fãs.

Abaixo: No palco da antiga escola de Louis, em Doncaster, durante as etapas finais da competição.

Acima: Quem é quem? Com certeza todas as fãs sabem.

Abaixo: Ele não é fofo? Harry mostra uma foto da infância em uma visita a sua cidade natal.

Acima: Eles nasceram para isso: os garotos fazem uma pose divertida no tapete vermelho da première de *As crônicas de Nárnia: A viagem do Peregrino da Alvorada*.

Abaixo: Exercendo seu encanto: na première mundial de *Harry Potter e as Relíquias da Morte: Parte 1*.

Acima: Em uma coletiva de imprensa do *X Factor* antes da final, os garotos parecem tranquilos e confiantes.

Abaixo: Com os outros competidores da sétima edição, incluindo o vencedor, Matt Cardle.

Acima: Começa o turbilhão: os garotos se apresentam em Birmingham na turnê do *X Factor*.

À esquerda: Na noite em que se tornaram garotos-propaganda do *Pokémon*.

Começando com o pé direito: o single de lançamento da banda, "What Makes You Beautiful", lidera as paradas britânicas.

Acima: Apesar de terem se tornado um sucesso instantâneo, garotos serão sempre garotos.

Abaixo: A banda lança *Up All Night* — o disco que teve as vendas mais rápidas de 2011.

O único caminho é para o topo: One Direction na turnê de *Up All Night*, que começou em dezembro de 2011 e passou pela Europa, pela Oceania e pela América do Norte.

À esquerda: No BRIT Awards 2012: os garotos conversam com o apresentador James Corden.

Abaixo: O bem-humorado Niall fazendo palhaçadas.

Direita: Felizes ao ganhar o prêmio de Melhor Single Britânico.

Conquistando os Estados Unidos: o One Direction se torna o primeiro grupo britânico a chegar à primeira posição da Billboard americana com seu álbum de lançamento. **(Acima)** Apresentando-se no Nickelodeon 25th Annual Kids' Choice Awards. **(Abaixo)** Sendo entrevistados numa rádio em Nova York.

Direita: A banda vai para a Austrália, onde Liam aproveita para surfar.

Esquerda: Quem é essa fofura? Louis abraça um coala.

Relaxando ao sol: os garotos aproveitam uma merecida folga.

De concorrentes no show de talentos a astros mundiais: só existe “uma direção”.

anterior do *X Factor*, foi citado no jornal *The Sun* atacando a banda por dublar. Essa controvérsia não era o que o grupo queria estar lendo. Parecia que ainda ontem eles eram cinco adolescentes comuns. Agora, enfrentavam sua primeira "tempestade midiática". Sua defesa foi dizer que, embora Zayn tivesse perdido a deixa, não foi sua voz que se ouviu, mas a de Harry. Como a câmera estava focada em Zayn, foi fácil para os espectadores não perceberem esse fato. Isso aplacou parcialmente as críticas na internet. Ward logo se distanciou das alegações de dublagem, dizendo que o jornalista tinha distorcido suas palavras.

Quando os resultados foram anunciados no programa da noite de domingo, a banda ficou aliviada ao descobrir que novamente tinha sobrevivido ao voto do público. A controvérsia da dublagem os deixou tristes na hora, mas também ensinou uma valiosa lição sobre a realidade da fama e do sucesso. Eles perceberam que, embora tivessem uma base de fãs enorme, dedicada e crescente, também enfrentavam o implacável escrutínio daqueles que não eram tão apaixonados por eles. Os shows ao vivo estavam se mostrando um curso intensivo de fama para o One Direction.

SEXTA SEMANA

TEMA: ELTON JOHN

A música de Elton John é, obviamente, composta para um cantor solo. Sendo a última banda remanescente na competição, o One Direction tinha que pensar cuidadosamente que música ia escolner do vasto e grandioso catálogo de Elton John. Eles escolheram "Something About the Way You Look Tonight". Eles ficaram com o penúltimo bloco da noite. Harry, no centro do alinhamento, contribuiu com o solo mais importante da edição até então. Os produtores do programa tinham percebido um frenesi crescente em torno dele e, como seu equilíbrio crescia a cada semana, o colocaram em um papel de maior liderança na banda. Quando ele começou o primeiro verso, os gritos e urros da plateia demonstraram que tinha sido uma decisão acertada.

Cowell aplaudiu a banda de pé quando a apresentação terminou, e os comentários dos jurados estimularam a plateia a aplaudir mais alto. Walsh disse aos garotos: "Bom, meninos, depois dessa performance, acho que vocês só têm uma direção para ir, e essa direção é a final. Conversei muito com vocês ontem e realmente os conheci. Sei que estão levando tudo isso muito a sério, e sabem que serão a próxima grande boy band." Dannii Minogue acrescentou: "Garotos, vocês são tão consistentes que chega a ser assustador!" Cheryl Cole, ouvindo o imenso e enlouquecido aplauso da plateia do estúdio disse: "Ouçam! Tudo se resume a isso; ouvir isso é ter a medida do que vocês se tornaram."

Finalmente, Simon Cowell disse: "Rapazes, quero dizer uma coisa: esta é a primeira vez em todos os anos de *X Factor* que genuinamente acredito que um grupo vai ganhar a competição." Então, ele refletiu sobre a personalidade gentil e profissional deles antes de concluir: "Garotos, parabéns."

Tudo era promissor no mundo do One Direction. A edição tinha feito uma aposta ao formar uma banda diante dos olhos dos espectadores, mas a aposta estava compensando. A cada semana, a importância e a popularidade deles cresciam. Louis, referindo-se à noite de Elton John, disse: "A noite de ontem foi absolutamente incrível, a plateia foi fantástica." Zayn parecia um pouco mais cauteloso. Avaliando que o desafio era se adaptar a cada semana, ele refletiu que "a competição está esquentando de verdade". De fato, estava — e o crescente exército de fãs do One Direction sentia que a atração mais quente de todas era a banda.

SÉTIMA SEMANA

TEMA: BEATLES

Finalmente: um gênero que se encaixava melhor para uma boy band! Cercado de artistas solo, o One Direction tinha passado por temas semanais que não estavam verdadeiramente dentro da zona de conforto da banda. Entretanto, a semana dos Beatles era perfeita para eles. Especialmente para Liam, que disse ao site oficial do *X Factor*: "Sou um grande fã dos Beatles e estou muito ansioso por essa noite." Ele previu uma "performance complicada", que seria "cheia de harmonias e improvisos, mas é o tipo de apresentação que acho que vocês esperariam de uma grande boy band".

Eles cantaram uma versão animada de "All You Need is Love". Novamente, Harry assumiu grande parte dos vocais, e o que tinha começado como uma apresentação calma acabou em um arrebatamento, com dançarinas pulando atrás da banda. Mas houve imperfeições. "Graças a Deus vocês existem, rapazes", disse Walsh em sua avaliação, acrescentando que "é bom ver os Cinco Fabulosos cantando os Quatro Fabulosos". Mas Minogue teve uma nota de crítica: "Eu sempre fiz comentários positivos sobre vocês", começou ela, "só que preciso dizer que, esta noite, vocês dois [Zayn e Niall] tiveram dificuldade. Não sei se a câmera pegou isso, mas vocês tiveram dificuldades com os backing vocals. Não decepcionem os outros garotos, vocês precisam funcionar como um grupo." Quando chegou a vez de Cowell, ele usou um tom competitivo. Gesticulando para seus três companheiros de júri, disse: "Esse pessoal não quer que vocês se saiam bem na competição. Eu quero — por favor, votem!"

Depois, Niall aceitou a crítica de Minogue sem se abalar. "[Ela] fez uma crítica negativa, mas sempre receberemos críticas negativas", disse ele. "Então, temos que aceitar e melhorar na semana seguinte." Niall demonstrou que a personalidade do garoto arrogante que tinha feito a audição em Dublin já estava amadurecendo e se tornando mais ponderada e equilibrada.

OITAVA SEMANA

TEMA: ROCK

Essa foi a semana em que a ascensão de Harry dentro da hierarquia da banda se aproximou do auge. Embora Liam tenha assumido grande parte dos vocais da primeira canção deles naquela noite de duas músicas, a escolha da música foi de Harry. Eles cantaram "Summer of '69", que Harry cantava quando era criança. Como a responsabilidade pela escolha foi apresentada no programa como inteiramente de Harry, ele estava recebendo muita atenção. Já se dizia que ele tinha inventado o nome da banda, depois de comentar que eles estavam "seguindo em uma direção" (do inglês, *one direction*). Ele também liderou a banda quando ela se aproximou da plateia no meio da música e, quando voltaram ao palco, foi ele que se posicionou no meio para a conclusão da música. Foi como se uma troca da guarda musical estivesse acontecendo. Walsh lhes disse: "Ei, meninos — funcionou perfeitamente! Adorei a escolha da música, adoro a atitude e a vitalidade que vocês trazem para a competição. A competição não seria a mesma sem o One Direction." "Amém", pensou uma nação de jovens espectadoras. Minogue foi mais positiva do que na semana anterior, dizendo: "Vocês claramente se esforçaram muito e realmente melhoraram, gostei." Cole estava perplexa com a histeria da plateia, dizendo: "As pessoas estão batendo os pés, há eletricidade no ar, é fantástico."

Entretanto, os mais significativos foram os comentários de Cowell. "Eu não tenho nada a ver com a escolha dessa música — Harry a sugeriu, e foi uma ótima escolha", disse ele. Enquanto Harry dava seu lindo sorriso, era parabenizado pelos companheiros de banda, Niall até mesmo brincou com seus famosos cachinhos. Com a perspectiva da semifinal na semana seguinte, Cowell relembrou aos garotos — mas especialmente à audiência — que tinham "trabalhado como loucos para chegar aonde chegaram" e implorou aos espectadores mais uma vez: "Por favor, liguem!"

Deveria ser um bom momento para a banda. Todos pareciam felizes outra vez — exceto um dos membros. Liam, talvez se sentindo relegado pela atenção e pelo crescente destaque dados a Harry, estava claramente desanimado e parecia triste quando O'Leary continuava o festival de adoração a Harry. Quando O'Leary disse o número para os espectadores ligarem para votar no One Direction, Liam foi o único integrante a não sorrir. Ele brincou com o microfone em certo momento, mas fora isso passava uma clara imagem de desânimo.

A segunda música deles foi "You Are So Beautiful". Era difícil discordar da decisão dos produtores de focar cada vez mais em Harry enquanto ele cantava os versos suavemente, com a câmera se aproximando de seu rosto de menino, e seus olhos expressavam a definição da melancolia das boy bands. Walsh disse a eles que a música tinha provado que eram "um grande grupo vocal — todos ali sabiam cantar". Minogue falou que eles eram "deslumbrantes", e Cole acrescentou que sentia que tinham um "futuro realmente brilhante". Cowell lhes disse: "Em muitos sentidos, foi minha apresentação favorita de vocês", e elogiou especialmente Zayn.

O público votou novamente em número suficiente para passá-los direto. Eles estavam nas semifinais!

A SEMIFINAL

A primeira música foi uma alteração no gigantesco sucesso de Rihanna, "Only Girl (in the World)". Nesse estágio da competição, eles tinham se aperfeiçoado tanto que não entravam mais no palco como os coitadinhos e corajosos integrantes de uma banda recém-formada que não conseguiam acreditar na própria sorte. Em vez disso, comportavam-se como uma verdadeira banda — com toda a solidez e confiança que isso proporciona. Enquanto prometiam tornar a garota da música a única do mundo, adolescentes de todo o país desejavam ser aquela garota. Walsh disse a eles: "Vocês estão melhorando a cada semana, e trazem histeria ao programa. Se houver justiça, com certeza, estarão na final — vocês merecem." Novamente, Minogue foi menos bajuladora em seu comentário. "Garotos, espero que vocês nunca nos decepcionem, porque realmente quero vê-los como a próxima grande boy band", começou ela. Levando o papel de jurada a sério, fez algumas críticas construtivas, dizendo a eles: "Tenho de dizer que em algumas semanas que vocês se apresentam, eu os acho muito sem graça. Hoje foi brilhante — vocês realmente fizeram jus às semifinais."

Então Cole falou de seu papel na semana da banda, durante o qual ela efetivamente substituiu Cowell, que estava ausente. "Nesta semana, pude conhecer todos vocês um pouco melhor, porque seu mentor não estava presente", disse ela. "Eu adorei orientar vocês... Mas, para mim, essa música foi um pouco perigosa, porque a versão da Rihanna é tão recente que vocês teriam que apresentá-la como se nunca tivesse sido escrita para ela, e não sei se isso funcionou muito bem, na minha opinião, mas não acho que faça diferença. Espero vê-los na final."

"Alguém está sendo tática!", disse Cowell, referindo-se às palavras de Cole. Então ele colocou a situação da banda em perspectiva. Ressaltando o grande desenvolvimento do One Direction, ele sentiu que devia lembrar aos espectadores de que eles ainda precisavam do voto do público. "Preciso dizer, garotos, sei que vai parecer um pouco tendencioso, mas achei essa música absolutamente perfeita, porque foi exatamente o que gosto em vocês: vocês não escolhem a opção segura. Escolhem algo completamente diferente: têm coragem para isso... Ouvimos todos esses aplausos, e as pessoas em casa podem achar que vocês estão seguros, mas ninguém está seguro nesta competição, e peço a todo mundo que, por favor, se querem ver esses meninos na final, peguem o telefone e votem neles, porque eles merecem."

A música seguinte deles nessa noite foi "Chasing Cars", do Snow Patrol. Sua melodia melancólica e emotiva era o meio perfeito de atrair votos. Quem resistiria a votar pela banda quando eles cantassem aquele sucesso emocionante? Na avaliação, Walsh, ávido como sempre por reivindicar um papel na família da banda, disse: "Liam, Zayn, Niall, Harry e Louis — eu sei o nome de vocês! Se houver alguma justiça, todas as jovens vão pegar o telefone e votar no One Direction — vocês merecem!" Minogue acrescentou: "Meninos, vocês passaram por uma semana muito difícil e esta foi uma performance incrível! Vocês simplesmente cresceram diante dos nossos olhos..." Cole disse: "Esta semana eu fiquei muito impressionada. Vocês não tinham o Zayn, o Simon não estava por perto, vocês mostraram um nível verdadeiro de maturidade e realmente merecem um lugar na final."

Cowell disse: "Garotos, o Tim, que passou a semana trabalhando com vocês, me disse que vocês tomaram a decisão para chegar hoje de manhã às 8 horas para ter mais tempo de ensaio, e é exatamente isso: aqui não valem desculpas, e sim uma ótima ética de trabalho, se animar depois de uma semana muito difícil, e como já disse antes — e falo muito sério —, estou tão orgulhoso de vocês como pessoas quanto como artistas. Foi uma grande apresentação, parabéns." De fato, parabéns para eles: para sua imensa alegria, o voto do público mandou-os para a final, na semana seguinte. Juntamente com Matt Cardle, Cher Lloyd e Rebecca Ferguson, eles lutariam para serem os campeões do *X Factor*. Será que uma banda sairia vencedora do programa pela primeira vez?

Entretanto, por trás dos sorrisos, brilho e animação, havia uma tragédia familiar assombrando Zayn. Seu avô, descrito pelo neto como alguém alegre, jovial e divertido, morrera naquela semana. Zayn tinha ido para casa em Bradford para ficar com seus entes queridos enquanto eles lidavam com o choque e a tristeza da perda. O fato de Zayn ter retornado a Londres para cantar no show ao vivo impressionou muitos dos envolvidos na edição — sobretudo Cowell. Os companheiros de banda de Zayn o apoiaram durante o luto, e até o acompanharam quando ele viajou para casa para o funeral. Zayn realmente apreciou esse gesto protetor e carinhoso.

Popularidade, unidade e forma: no que se referia à competição em si, tudo estava se encaixando na hora exata para o One Direction.

A FINAL

Assim, as perspectivas do One Direction para a final eram fortes. A histeria de sua base de fãs era ensurdecedora e a banda tinha seguido a regra de ouro do sucesso no *X Factor*: subir no final em vez de no começo. Entre os que apostavam na vitória deles estavam os campeões de edições passadas do *X Factor*: Joe McElderry — o deslumbrante cantor cujo sucesso tinha incentivado diversos integrantes do One Direction a se inscrever no programa — e Alexandra Burke. Entretanto, uma pesquisa publicada no jornal *The Sun* na manhã do dia da final os colocava no distante terceiro lugar, atrás de Rebecca Ferguson e do vencedor previsto pela pesquisa, Matt Cardle.

Na semana anterior ao grande dia, os finalistas fizeram as habituais viagens a suas cidades natais, o que sempre proporciona momentos bonitos e emocionantes na TV — e também serve para fortalecer o apoio de "casa" para cada artista. Embora, por causa do show, a banda não tenha ido para a Irlanda, terra natal de Niall, eles visitaram as cidades dos outros integrantes, incluindo Wolverhampton, de Liam, onde se apresentaram para 5 mil pessoas. Liam disse que a experiência foi "absolutamente incrível — a plateia foi maravilhosa". Ele também ficou perplexo porque o frenesi era tão intenso que a polícia teve de conter as fãs. A banda estava "vibrando", ele lembrou mais tarde. Harry acrescentou que era "realmente empolgante para nós pensar que vamos fazer vários shows pequenos como esse e outros para plateias maiores que essa".

Na grande noite, a banda tentou tirar a pesquisa do jornal da cabeça e se concentrar na tarefa que tinha pela frente. A final duraria duas noites, com apresentações e votos do público em ambas. A primeira música que eles cantaram foi "Your Song", de Elton John. Como seus concorrentes escolheram canções menos conhecidas pelo público, a banda torcia para que esse clássico tão popular pudesse reforçar seus votos. Nessa performance, Liam teve seu momento pessoal sob os refletores — literalmente, pois no primeiro verso ele ficou sozinho no palco escuro, iluminado por um único feixe de luz. Foi o auge de uma jornada pessoal para ele: de sua experiência no *X Factor* em 2008, que terminou em rejeição na fase Judges' Houses, àquele momento, cantando quase como um artista solo no palco da final do *X Factor*.

Ao final do primeiro refrão, a banda tinha se unido atrás de uma fileira de microfones, com Harry ao centro. Com neve caindo, brilhantes luzes brancas e um coro de cantores vestidos de branco juntando-se a eles para o final da música, os produtores tinham usado quase todos os clichês do *X Factor* para a apresentação. Walsh ficou impressionado como sempre: "Ei, One Direction, vocês estão na final — espero que estejam aqui amanhã à noite", disse ele. "É incrível como cinco garotos se entrosaram tão bem. Sei que vocês todos são melhores amigos. Nunca vi uma banda causar tanta histeria com tão pouco tempo de carreira. Com certeza, acho que vocês terão um futuro brilhante. A Irlanda inteira tem de votar pelo Niall, sim!"

Minogue desejava o mesmo que Walsh. "Meninos, vocês trabalharam muito duro nesta competição. Foram colocados juntos, merecem estar aqui, e eu adoraria vê-los na final amanhã", disse ela. Cowell disse que as primeiras duas performances de Cardle e Ferguson tinham sido "tão boas" que seu "coração estava afundando" por causa do potencial de sua banda naquela noite. Entretanto, falou que o grupo tinha dado "mil por cento" e acrescentou: "Foi um prazer enorme trabalhar com vocês." Para que sua contribuição não parecesse um obituário, acrescentou: "Realmente espero que as pessoas se deem o trabalho de ligar e garanti-los para amanhã, porque vocês merecem estar aqui."

A intensidade da noite foi quase insuportável. Uma coisa que nenhum crítico pode tirar do programa é que ele sabe construir perfeitamente a tensão do último episódio. A empolgação se renovou quando os finalistas apresentaram seus duetos. Cardle cantou com Rihanna, Lloyd com Will.i.am, do Black Eyed Peas, e Ferguson, com Christina Aguilera — todos artistas de grande prestígio. Entretanto, o One Direction sentiu que tinha ficado com o melhor: Robbie Williams. O homem que tanto os tinha influenciado ia cantar com eles no horário nobre da televisão.

Caso alguém não tivesse entendido imediatamente como aquilo era emocionante para a banda, seus rostos irradiavam empolgação, orgulho e quase descrença quando ele se juntou a eles durante a interpretação de "She's the One". Cada um dos garotos parecia tão feliz que era impossível que os espectadores não ficassem comovidos. Até Zayn sorria. O fato de o dueto ter corrido tão bem foi um alívio para todos. Quando Williams tinha cantado com um finalista anterior, Olly Murs, ele havia perdido sua deixa, maculando o que deveria ter sido um daqueles dramáticos momentos-chave da final. Williams também tinha passado por uma apresentação cheia de percalços no programa em um momento anterior daquela edição, quando as portas não se abriram na hora certa para sua entrada no palco, quando cantaria o novo single "Bodies", tornando sua eventual aparição meio destrambelhada.

Quando seu bem-sucedido dueto com o One Direction chegou ao fim, ele gritou: "Os rapazes do One Direction! Liguem!", e, então, os seis se juntaram brevemente em um abraço em grupo. Robbie até levantou Niall no ar. Louis disse que era "um grande fã de Robbie — muito obrigado por cantar com a gente". E Robbie casualmente respondeu: "Ah, foi um prazer, vocês são ótimos!" Harry, parecendo mais sério do que nunca, falou do "prazer que tinha sido cantar com Robbie". Cowell descreveu Robbie como "um grande amigo do programa — extremamente generoso com seu tempo e deu a esses garotos a melhor noite de suas vidas". A empolgação foi suficiente para a banda passar pela primeira noite de votos do público do fim de semana. Quem foi mandada para casa foi Cher Lloyd, deixando o One Direction para brigar com Cardle e Ferguson na noite seguinte.

No domingo, as apostas eram altas como sempre. Naquela que seria sua última apresentação da edição, o One Direction cantou "Torn". Como era a mesma música que tinham cantado na fase Judges' Houses, foi uma escolha tocante. Lembrava aos próprios garotos — assim como à audiência — quão longe tinham chegado. Seus oponentes, Cardle e Ferguson, cantaram respectivamente "Firework", de Katy Perry, e "Sweet Dreams", do Eurythmics. A contagem de votos seguinte eliminaria um dos três, deixando os dois finalistas competirem entre si.

O veredicto final dos jurados para a banda foi muito otimista, mas basicamente revelava a expectativa de que aquele era o fim do caminho na competição. "Vocês tiveram uma química maravilhosa, adorei as harmonias. Adorei a escolha da música e temos cinco novos pop stars!", disse Walsh. Minogue acrescentou: "Meninos, vocês fizeram tudo certo para garantir um lugar na final. Foi uma apresentação fantástica. Aconteça o que acontecer esta noite, tenho certeza de que vocês vão seguir em frente, lançar discos e ser a próxima grande boy band." Cole, em especial, deu um tom conclusivo, dizendo: "Foi lindo observar vocês desde a primeira audição. E pensar que isso aconteceu apenas há alguns meses! Eu realmente acredito que vocês têm um grande futuro pela frente e quero dizer 'obrigada' por serem garotos tão adoráveis de se conviver." Apenas Simon Cowell, previsivelmente, deu a impressão de que a banda sobreviveria à eliminação seguinte e sairia vencedora do programa. "Sejamos claros: qualquer um que chega a esta final tem uma grande chance de melhorar seu futuro", disse ele. "Mas esta é uma competição, e em termos de competição, em termos de quem se esforçou mais, quem eu acho que merece ganhar com base no futuro de alguma coisa que ainda não vimos. Eu adoraria ouvir o nome de vocês sendo dito no final da competição — porque acho que vocês merecem."

Com Cher Lloyd eliminada, até então o final de semana tinha confirmado a previsão da pesquisa do *Sun*. Se aquela correspondência se mantivesse, o One Direction deixaria o programa nesse estágio. Com Matt Cardle e Dannii Minogue no lado esquerdo do palco e Rebecca Ferguson e Cheryl Cole, no direito, os garotos do One Direction estavam no meio, com Simon Cowell. Seguido pelas habituais pausas dramáticas e estressantes, Dermot O'Leary anunciou que primeiro Cardle e, depois, Ferguson, tinham passado, o que deixava o One Direction fora do restante da competição.

Cowell foi o primeiro a reagir à decepcionante notícia. Ele pareceu perturbado, quase furioso, e virou as costas. Foi a linguagem corporal do desgosto. Os garotos pareciam completamente devastados. Como alguém comentou no Twitter: "É como ver o Justin Bieber triste em um caleidoscópio." Louis, condizendo com o fato de ser o mais velho da banda, foi o primeiro a falar depois do terrível golpe. "Foi absolutamente incrível", disse ele. "Para mim, o melhor momento foi quando cantamos juntos na fase Judges' Houses. Aquilo foi inacreditável. E quer saber? Fizemos o melhor possível, trabalhamos duro." Zayn, olhando para o futuro, acrescentou uma observação desafiadora: "Com certeza continuaremos juntos, este não é o fim do One Direction!", declarou, para grande alegria das fãs do país inteiro, cujos corações tinham ficado apertados quando a eliminação dos garotos foi confirmada.

Mas o programa tinha de continuar sem o One Direction, que assistiu das coxias. Quando Cardle foi declarado o vencedor, os garotos ficaram muito felizes por ele. Quando ele cantou sua música como vencedor, "When We Collide", os outros finalistas correram para se juntar a ele no palco. A animada multidão que aparece nesse ponto é sempre uma parte comovente da final — é uma tradição desde a final da primeira edição de *Pop Idol*, em 2002. Os integrantes do One Direction estavam animados quando se amontoaram em torno de Cardle. O sempre radiante Niall foi o primeiro a sair do grupo para abraçar o vencedor, que parecia perplexo, mas muito feliz.

Quando Cardle foi engolido pela multidão, Harry cantou a letra para ele enquanto Niall ia para a frente do palco para incentivar a plateia a aplaudir e cantar ainda mais animadamente. Foi de fato uma loucura, e o melhor — ou pior, aos olhos de alguns — momento ainda estava para vir. Quando O'Leary finalizou a noite e, com ela, a edição, a câmera pegou Harry sussurrando alguma coisa para o triunfante Cardle. Nem todos conseguiram entender o que Harry tinha dito, mas alguns espectadores com olhos de lince acharam que haviam conseguido.

Em instantes, o Twitter foi inundado com mensagens especulando que o que Harry tinha dito fora: "Imagine quantas gatas você vai pegar." Essa teoria foi absorvida pela grande mídia e provocou uma combinação de ultraje, diversão e aprovação de diferentes setores do público britânico. Embora Harry inicialmente tenha mantido segredo sobre o que dissera, tempos depois ele confirmaria que de fato tinha feito um comentário obsceno. Sua mãe ficou tão furiosa que o deixou de castigo quando ele voltou para casa.

Relembrando a edição em uma entrevista para o *Digital Spy*, Harry voltou a temas familiares. "Quando entramos e vimos o estúdio pela primeira vez e quando nós cinco ficamos atrás das portas para um show ao vivo, para a primeira música — para mim foi o melhor momento. Foi quando estávamos nos apresentando de verdade pela primeira vez. Foi um grande momento." Será que eles sequer teriam acreditado, naquela hora da primeira semana, que chegariam até a final? Embora sua decepção por não ganhar tenha sido imensa, também ficaram orgulhosos por ter se saído tão bem.

Seu orgulho foi merecido. Havia apenas uma pequena, mas muito importante, pergunta na mente deles: o que viria a seguir?

8 O QUE OS TORNA BONITOS

Depois de ter sido eliminada, a banda foi convidada para uma reunião particular com Cowell. "Tomei uma decisão", disse ele, iniciando uma pausa dramática — deve ter parecido que eles estavam de volta ao programa! Finalmente, ele lhes falou qual era a decisão: Cowell iria contratá-los para seu selo da Sony Records. O bom e velho "tio Simon" tinha confirmado que, mesmo quando as câmeras não estavam apontadas para ele, não conseguia resistir a fazer suspense sobre suas decisões. Quando elas são de uma natureza tão monumental, deve ser difícil não ser teatral, mesmo que isso deixe aspirantes quase sem fôlego de tanta ansiedade.

Enfim, essa era a notícia que a banda queria ouvir. Embora muitos comentaristas tivessem especulado que Cowell contrataria a banda mesmo que eles não ganhassem a competição, nenhum dos garotos tinha essa certeza. Eles sabiam que a indústria do entretenimento é cruel e instável, e que decisões difíceis são tomadas sem levar em consideração os sentimentos dos envolvidos. Quando ouviram a notícia, suas emoções foram tão intensas que Harry caiu no choro — sua imagem calma foi totalmente esquecida naquele momento. Depois, mal podiam esperar para contar a seus pais. Como muitos artistas, os garotos queriam deixá-los orgulhosos.

Cowell disse à banda: "Vocês têm que se divertir no caminho. 'Vão ganhar muito dinheiro, mas têm que aproveitar cada momento." Ainda que os meninos não tenham percebido imediatamente, Cowell quase havia feito um sacrifício digno de nota. Ele sentiu que tinha algo tão promissor nas mãos que convidou outros selos da Sony para lhe apresentar propostas antes de decidir para onde mandar os garotos. Em vez de contratá-los automaticamente para seu selo, ele estava disposto a considerar entregá-los para outro. Ele explicou o porquê à *Rolling Stone*. "Era uma contratação tão importante que deixamos três ou quatro selos da Sony fazer uma proposta", disse ele. "Eu não entreguei a banda automaticamente para o meu selo. Pensei: 'Isto é muito importante, será que alguém pode ter uma ideia melhor do que fazer com eles?...' Na verdade, eu estava disposto a entregá-los a outra divisão da Sony porque achava que o grupo era importante o suficiente para isso."

Triunfante, a banda seguiu caminhos separados para o Natal. Embora eles tenham tido menos de uma semana para comemorar as festas de fim de ano, estavam contentes por estar em casa com seus entes queridos — um paraíso de serenidade familiar durante uma época frenética e cheia de situações desconhecidas. Enquanto celebraram com a família, os garotos puderam refletir sobre quanto suas vidas tinham mudado naquele ano.

Eles também estavam fazendo um curso intensivo sobre a realidade da fama. Quando fazia compras durante a folga de Natal, Zayn praticamente parou um shopping center por um ou dois minutos quando foi reconhecido. Harry, por sua vez, percebeu uma aglomeração de fãs quase ininterrupta perto da casa de sua família. Foi seu primeiro encontro com uma admiração tão intrusiva: e ficou preocupado que elas pegassem um resfriado.

Mais ou menos na mesma época, Louis ouviu que algumas pessoas de Doncaster estavam falando que ele não merecia a fama e o sucesso que tinha alcançado. É a típica crítica provinciana que aqueles que se destacam às vezes têm de enfrentar. E devem ser vistas como o que são: inveja e a confirmação de que você está subindo. Mas, na hora, pode ser difícil aceitá-las, especialmente para alguém tão jovem quanto Louis. Semanas antes, Louis tinha enfrentado comentários semelhantes do vencedor de uma edição anterior do *X Factor*, Steve Brookstein. O cantor de meia-idade, que tinha levado sua perda de fama notoriamente mal, escreveu no Twitter que Louis era o "homem mais sortudo da música" por ter conseguido aquele contrato. Ele estava para se tornar uma das primeiras pessoas a se deparar com a cólera das fãs do One Direction.

Enquanto as fãs se enfureciam contra Brookstein no Twitter, a própria mãe de Louis, Johanna, mandou uma mensagem dirigida a ele. "Oi, eu sou a mãe do Louis", escreveu ela. "Minha família sempre gostou de você e comprou seus discos. Por que ser tão cruel? Por que envergonhá-lo em público? Ele ficou triste por causa de sua audição. Ele estava incrivelmente nervoso. Veja o YouTube dele. Ele tem 18 anos, Steve! Eu achava sinceramente que você era um cara legal. Infelizmente, agora tudo o que ouvimos sobre você parece ser verdade." Brookstein não se arrependeu, dizendo: "Se você é a mãe de Louis, dê ao pobre rapaz umas aulas de canto no Natal. Pelo menos umas vinte." Enquanto o Twitter quase entrava em colapso por causa da quantidade de tuítes sendo disparados pelas fãs, Brookstein permaneceu inabalável. "Ouçam, ele é uma fraude", escreveu. "Um impostor incompetente. Não me culpem por expor sua falta de talento. Fim de papo." Louis respondeu com dignidade, dizendo a Brookstein: "Steve, você é meu ídolo!" Foi uma resposta elegante aos insultos feitos por um homem com idade suficiente para ser seu pai.

Quando terminou a bem-vinda (ainda que curta) folga de Natal, o One Direction se reuniu em Londres. Sua primeira tarefa profissional importante em 2011 não foi das mais difíceis. Enquanto os meros mortais enfrentavam manhãs frias a caminho da escola, da faculdade ou do trabalho, o One Direction escapou do rigoroso inverno britânico e voou para um clima mais quente: a Costa Oeste dos Estados Unidos. Eles passaram cinco dias em Los Angeles — a autodenominada capital do entretenimento. Lá, o sol estava brilhando e a cidade resplandecia de astros e estrelas. O tempo que ficaram em Los Angeles foi passado em uma combinação de trabalho — incluindo uma gravação em estúdio e uma reunião com o produtor Max Martin —, turismo e compras.

Quando voltaram à Grã-Bretanha, no final de janeiro, o grupo teve seu encontro mais extremo com as fãs até então, quando foi confrontada com centenas de garotas histéricas na chegada ao aeroporto de Heathrow. A equipe de segurança teve de agarrar os meninos e escoltá-los às pressas para uma van da polícia a fim de evitar que fossem atacados por elas. Foi uma experiência insana, e os integrantes da banda reagiram de formas diferentes. Louis, por exemplo, "achou o máximo", mas Niall ficou completamente apavorado.

Um aparte engraçado aconteceu por causa do ex-vocalista principal do Boyzone, Ronan Keating, um galã nos anos 1990, que estava chegando no aeroporto mais ou menos ao mesmo tempo. Tempos antes, ele tinha enfrentado cenas exatamente como aquela. Ele escreveu no Twitter: "Acabei de aterrissar no Heathrow, e quando saí, havia centenas de fãs histéricas, mas, infelizmente, não eram para mim. Haha! O One Direction estava no voo." Mesmo assim, a experiência deve ter trazido à tona memórias para Keating.

O compromisso seguinte da banda era tomar parte na turnê do *X Factor*, na qual mais garotas histéricas apareceriam para agredir seus tímpanos. Reunindo-se à maioria dos finalistas da edição, eles se apresentaram em arenas de todo o país para os fãs mais dedicados do programa. Foram postos à prova nos dias que antecederam a turnê e tiveram de aprender novos passos de dança e também preparar algumas frases para falar entre as músicas. Os ensaios e os exercícios foram rigorosos: eles repetiram algumas partes de seu bloco mais de vinte vezes. Foram dias difíceis no Light Structures, em Wakefield, mas o esforço valeu a pena.

Durante a turnê, eles dividiram um camarim com os outros artistas do sexo masculino. Isso significava que eles estavam junto com Matt Cardle, Aiden Grimshaw e até mesmo o engraçado Wagner. Isso criou um ambiente cheio de energia enquanto eles riam ao se lembrarem dos momentos divertidos da edição, e também pensavam em seus respectivos futuros. Depois de cada show, eles iam para o hotel e, de lá, diretamente para o bar, e passavam o restante da noite se divertindo. Em duas ocasioes, acabaram fazendo "guerras de frutas". A primeira, em Sheffield, durou cinco anárquicos minutos. Começou quando Louis casualmente tentou lançar um pedaço de maçã na lata de lixo. Houve uma "segunda etapa" da guerra de frutas em Liverpool. Não é de se estranhar que Harry tenha dito que gostaria que a turnê nunca acabasse. Os legumes também desempenharam um papel engraçado nessa época. Depois que Louis comentou em uma entrevista — de brincadeira, diga-se de passagem — que o tipo de garota que ele gosta é a que come cenouras, eles foram bombardeados com o legume pelas fãs. As garotas chegavam aos shows e aparições agitando cartazes com cenouras desenhadas, usando camisetas de cenouras e carregando punhados de cenouras. Durante uma das apresentações, Louis chegou a subir ao palco usando uma fantasia de cenoura. Como ele mesmo brincou mais tarde, depois de todas essas cenouras, agora ele consegue "enxergar no escuro"!

Os meninos adoravam cada minuto que passavam no palco. Desde o show de abertura da turnê em Birmingham, quando o barulho ensurdecedor da multidão de cerca de 12 mil pessoas deixou os garotos perplexos, passando pelas outras cidades (inclusive da Irlanda), essa foi uma experiência que eles nunca esqueceriam. Também serviu como um útil aprendizado para a experiência de fazer turnês. No futuro, eles lotariam lugares iguais ou até maiores do que os da turnê do *X Factor*. Geralmente, bandas bem-sucedidas constroem sua carreira ao vivo em lugares pequenos a médios e, depois, passam aos maiores, em vez de lotar arenas gigantescas nos primeiros anos. Então, foi de grande ajuda que os garotos já tivessem esse gosto de estar no palco diante de multidões tão grandes.

Suas memórias principais da turnê incluiriam as várias vezes em que as calças de Liam se rasgaram no palco. Era sempre durante a interpretação de "Forever Young" que seus "problemas com o figurino" aconteciam. Mas não é preciso dizer que nenhuma das garotas da plateia pediu o dinheiro de volta! Na festa de encerramento, que aconteceu na boate do hotel depois da última apresentação, a equipe, os agentes e os artistas carinhosamente deram adeus uns aos outros. A turnê tinha definido que os mais festeiros da banda eram Harry e Louis, com a maioria dos observadores concordando que Louis provavelmente derrotava Harry nessa disputa. Uma coisa que todos eles adoravam igualmente era a comida: a cadeia de restaurantes Nando's teve muito lucro com o One Direction.

Em um prenúncio da agenda frenética que esperava por eles, a banda se envolveu em outros projetos durante a turnê. O mais importante foi a gravação de um anúncio de TV para o jogo *Pokémon* para o Nintendo DS. O anúncio não foi um trabalho exaustivo para a banda. Foi filmado em um quarto de hotel e basicamente mostrava o grupo brincando com o jogo. O ingênuo Louis ficou felicíssimo com o fato de que parte do acordo era que cada um deles ganharia um Nintendo

DS e os jogos do *Pokémon*. Outro projeto promocional no qual se envolveram nessa época foi o lançamento de seu primeiro livro oficial, *Forever Young*. As tardes de autógrafos causavam um verdadeiro frenesi e ajudavam a tornar as vendas do livro cada vez mais altas — ele acabou se tornando um sucesso nas listas dos mais vendidos. Com outros livros publicados sobre o grupo nos meses seguintes ao programa, o One Direction ficou em uma posição estranha: era uma banda pop com mais livros que discos lançados. Isso estava para mudar.

Com o fim da turnê, a banda tirou umas férias. Niall foi para a Espanha com seu pai e um amigo; Liam foi para a Flórida com os pais; Louis e Harry foram esquiar em Courchevel, nos Alpes franceses.

Quando voltaram, foram para o estúdio para gravar seu single de lançamento. A música que tinha sido cuidadosamente escolhida para eles era "What Makes You Beautiful". Ela começa com uma breve frase de guitarra em *staccato*, com uma pegada animada, quase atrevida, remanescente do material do começo do McFly. Então, o som de baquetas em um prato leva ao primeiro verso. A voz de Liam é a primeira a ser ouvida. Em um tom profundo e meio sexy, e com um sotaque com um toque norte-americano, ele canta a atraente primeira frase. O acompanhamento se torna mais pesado quando Harry começa a cantar sua parte. Sua voz sonhadora e expressiva está em seu melhor quando ele conduz a canção para seu explosivo refrão. É nesse ponto que todo o caráter de hino da canção fica claro.

No segundo verso, a música pega um rápido desvio de estilo. A parte de Zayn tem um pouco de rap e dá à música um toque — embora leve — de "rebeldia". Então, a ponte de Harry nos leva de volta ao refrão. O que se segue é o clássico truque do pop de cantar um "na-na-na-na" *a cappella*, com Harry cantando no meio. É um momento inesperado de calma e tranquilidade — melhor ainda para chegar ao refrão final, que explode de maneira suprema. Tanto no clipe quanto nas apresentações ao vivo, a banda empolga a audiência durante o refrão. Não é uma canção que deveria terminar com um fade — e nem termina. Em vez disso, um "*That's what makes you beautiful*" final de Harry finaliza três minutos e 18 segundos de perfeição pop.

Foi uma música de abertura habilmente escolhida para a banda, diferenciando-os das boy bands britânicas recentes, e evitando tanto a imagem do Westlife, repleta de baladas e mudanças de tom, e a pegada de falsos bad boys do The Wanted. Em vez disso, a música fazia uso do que os integrantes do One Direction tinham de melhor: era ao mesmo tempo divertida, jovem, irreverente, profunda e empolgante. Nunca uma geração de garotas esteve mais inclinada a jogar o cabelo.

Escrita por Rami Yacoub, Carl Falk e Savan Kotecha, que já tinham escrito para Westlife, Britney Spears, Nicki Minaj, Usher e Celine Dion, era, na verdade, praticamente ouro pop adolescente. Musicalmente, a progressão dos acordes é brilhante, e sua produção, idealizada por Yacoub e Falk, totalmente simples. Os que estão por trás da música devem ser tão elogiados quanto aqueles que a escolheram para o One Direction: músicas como essa, que tanto capturam quanto definem perfeitamente o espírito do pop adolescente, podem parecem fáceis de produzir, mas não são.

Os garotos compreenderam isso muito bem. "Quando estávamos gravando no estúdio, soubemos imediatamente que queríamos que essa música fosse nosso primeiro single", disse Harry ao *Digital Spy*, acrescentando: "Queríamos lançar alguma coisa que não fosse brega, mas que fosse divertida. Aquilo meio que nos representava, demorou um pouco para encontrarmos, mas creio que achamos a música certa." Liam também sentia que "What Makes You Beautiful" era perfeita para eles.

"Nosso desejo era que [o single de lançamento] fosse algo que as pessoas não esperassem e, quando ouvimos, também não era algo que esperávamos, então se encaixou perfeitamente." O lançamento também foi cercado de pressão, algo de que os garotos estavam muito conscientes. "Há muita expectativa", disse Louis. "Todas as fãs sabiam que estávamos gravando, então existia um pouco de pressão."

O som foi atribuído a um amplo leque de influências. Assim como o já mencionado McFly, eles também disseram ter inclinações para o estilo de artistas diversos como o gigante do pop americano 'N Sync, os dinossauros do rock progressivo dos anos 1970, Pink Floyd, e a clássica pop-folk mexicana "La Bamba". Example e Calvin Harris foram dois outros artistas mencionados. Muitos também perceberam uma conexão entre a frase de abertura e a da canção da trilha de *Grease – Nos tempos da brilhantina*, "Summer Loving". Era um feliz acaso, pois alguns dos garotos tinham participado de peças escolares daquele mesmo musical.

Em seu lançamento, em 11 de setembro de 2011, os críticos ficaram extasiados. Resumindo o tema da música como algo que mostrava que o "tipo favorito" de garota da banda é "aquela espécie em extinção que é visualmente deslumbrante, mas não tem consciência disso", Robert Copsey, do site de entretenimento *Digital Spy*, encheu a canção de elogios. Concedendo-lhe quatro estrelas, de um máximo de cinco, ele a declarou uma mistura de Pink e McFly, concluindo: "Assim como o ursinho de pelúcia que você ganhou de sua paixão do ensino médio, a música é adorável, completamente inocente e destinada a causar agitação entre suas amigas." Sendo um site que vive para falar de reality shows, era esperado que o *Digital Spy* tivesse uma visão favorável da música. Uma defensora menos esperada foi a *NME*, na qual Ailbhe Malone declarou que a canção era "tão inofensiva que talvez fosse necessário pensar duas vezes antes de dar as mãos com seu par, sob pena de ser arrebatado". Mas ela disse que isso não era necessariamente "ruim".

Com um enfoque técnico sobre a música, o que não era de surpreender, Malone continuou: "Seguindo o caminho do magnífico desempenho de 'My Life Would Suck Without You', 'What Makes You Beautiful' é exuberante com um cativante 'oh na-na-na' no meio. A verdadeira genialidade é que os acordes são simples o bastante para serem tocados no violão em uma festa em casa." O site do canal infantil *Newsround* deu ao single quatro estrelas em cinco, dizendo: "Pense em verão, pense em sol, pense em festas na praia com seus amigos e você vai sentir a vibração geral de 'What Makes You Beautiful'. É pop clássico — divertido, animado, e fica imediatamente na cabeça." Como veremos, não foram só os críticos e o público que compra discos que adoraram a música — as premiações também.

Mas, primeiro, vamos dar uma olhada no desempenho comercial da canção, algo que a banda mal podia esperar para ver. "Estou empolgado porque é nisso que trabalhei a vida inteira, e finalmente está acontecendo", disse Zayn à revista *Top of the Pops*, antes do lançamento do single. Quando foi lançado, uma expectativa tão gigantesca tinha sido criada em torno dele que não havia dúvidas de que seria um grande sucesso. Três semanas antes da data do lançamento, a Sony Music anunciou que o single já tinha quebrado todos os recordes no número de pré-vendas para uma banda do selo na história da empresa — uma conquista muito importante, se considerarmos que a Sony é a gravadora de estrelas internacionais como Michael Jackson, Beyoncé e Christina Aguilera. No lançamento, a música estreou no número 1 na Grã-Bretanha e na Irlanda. No devido tempo, também se sairia bem em outros territórios.

O clipe da música é, evidentemente, parte considerável de seu sucesso. Essa parte da imagem de qualquer banda é importante desde que a MTV foi criada nos anos 1980. Entretanto, na era da internet, a importância do clipe ganhou nova dimensão: graças ao YouTube e às redes sociais, os agentes podem, até certo ponto, contornar a grande mídia e divulgar seus clipes diretamente para os fãs. O One Direction tinha feito seu único vídeo em dois dias, em Malibu, Califórnia. Dirigido pelo diretor, cineasta e fotógrafo John Urbano, no vídeo eles são vistos brincando na praia, dirigindo uma Kombi, jogando futebol e muito mais. A alegria é contagiante. Quando ele canta a primeira frase sobre jogar o cabelo no primeiro refrão, Harry joga a própria muito adorada juba encaracolada.

Um grupo de garotas se junta à diversão depois de mais ou menos um minuto de clipe, mas é quando a banda tira a camisa para brincar no mar que o interesse da maioria das espectadoras aumenta. O fato de haver apenas algumas cenas breves de seus torsos nus foi deliberado. Foi menos uma provocação e mais uma determinação por parte dos agentes da banda de não sexualizá-los demais no início da carreira. Notando, por exemplo, a maneira como Justin Bieber tinha conquistado o mundo do pop basicamente com uma imagem saudável de bom moço, os agentes estavam determinados de que o One Direction não arrancasse as roupas na primeira oportunidade, como tinham feito outras boy bands.

A parte mais íntima do clipe é quando Harry canta a parte *a cappella* para uma das modelos. Na verdade, é um momento meio constrangedor. Harry está bastante — mas não totalmente — confortável. Mas a atriz parece bem menos à vontade, como as fãs notariam com ardor, e não muito empolgada por estar em uma cena como aquela. As filmagens de vídeos pop podem ser experiências longas e cansativas, então talvez as fãs — que teriam matado para estar no lugar dela naquele dia — possam perdoá-la.

Enquanto isso, a banda tinha mais aparições promocionais para fazer. A primeira grande entrevista na TV foi no programa *Alan Carr: Chatty Man*, no Canal 4. Com a ajuda da considerável sagacidade e a conversa ousada de Carr, a personalidade dos integrantes da banda apareceu bem. Eles conseguiram acabar com a suspeita levantada por algumas pessoas do público de que integrantes de boy bands têm personalidades chatas e sem graça. Pelo contrário, eles deixaram a audiência às gargalhadas. Harry em especial estava transbordando de carisma naquela noite. Naturalmente, Carr não permitiria que Harry saísse dali sem zombar do famoso comentário obsceno. A resposta irônica de Harry ficará na memória. “Foi completamente inocente!”, disse ele. “Eu e o Matt estávamos conversando sobre os presentes de Natal que daríamos para os nossos pais, e antes o Matt tinha comentado que queria dar muitas gatas para a mãe. Então, quando ele ganhou, eu falei para ele imaginar quantas gatas ia conseguir dar para ela agora.” Ninguém acreditou naquela explicação nem por um segundo, mas todos riram da criatividade de Harry.

Outros pontos altos do divertido bloco da banda no programa incluíram a imitação incrivelmente convincente de Niall da voz locutor do *X Factor*, Peter Dickson, e as engraçadas histórias de Louis sobre os percalços com os carros americanos. Carr também perguntou a Louis sobre o ataque virtual de Brookstein. “Sua mãe sempre vai defender você?”, perguntou o apresentador. Louis, para deleite de todos, teve de admitir que sim. Carr provocou gargalhadas nos garotos quando perguntou sobre uma possível paquera entre Harry e uma modelo do clipe chamada Madison. “Você visitou a avenida Madison?”, perguntou ele, para alegria total da banda.

O grupo também apresentou seu single no game-show *Red or Black?*, criado por Cowell. Essa aparição acabou sendo uma experiência menos positiva. Durante parte da música, a audiência viu um VT especialmente encenado que mostrava a banda indo para o estúdio de TV de metrô, cantando as duas primeiras estrofes e os refrãos no trem entre as fãs, e depois sendo perseguidos por fãs histéricas da estação do metrô até o estúdio. O que deveria ter sido um truque simples e divertido, acabou sendo interpretado por alguns espectadores como uma prova de que a banda estava sendo impedida de fazer uma apresentação completa por causa da suposta falta de talento para performances ao vivo.

Seria de pensar que ver Harry claramente cantando a parte *a cappella* ao vivo no palco bastaria para dispersar essas ideias. Seu nervosismo e sua falta de fôlego — depois de ter dançado pelo palco — estavam evidentes. Suas mãos tremiam enquanto cantava, e seu olhar estava muito ansioso. Se ele tivesse errado o tempo, toda a apresentação teria sido um fiasco constrangedor. Quando terminou a parte solo com sucesso, ele deu um suspiro de alívio, Niall deu um tapinha em seu ombro e a banda voltou para o explosivo refrão. Tudo tinha dado certo naquela noite — ou não?

Quando terminaram, Harry disse que "sentia um pouco de pena de si mesmo" pela maneira como tinha deixado seu nervosismo transparecer. Entrou no Twitter e procurou o que estava sendo dito sobre ele. E ficou devastado pela quantidade de insultos que encontrou. Louis tentou confortá-lo, mas percebeu que não havia muito que pudesse fazer. "Eu me senti um inútil", disse Louis mais tarde.

Os membros da banda apoiaram Harry e asseguraram que eles e as fãs o adoravam. De fato, para muitas fãs, o nervosismo de Harry só o tornou mais real e adorável. Era um lembrete de que aquela era uma banda nova, formada por jovens. Os garotos do One Direction estavam para se tornar os reis do pop britânico, mas mantinham a imagem de coitadinhos. Eles estavam sendo bem-agenciados e seu estilo era bem-orientado. Desde sua saída do *X Factor*, tinham sido fisicamente transformados até certo ponto: eles exibiam mais atitude e aparência de astros do pop, mas ainda eram reconhecíveis como os garotos que tinham surgido para suas primeiras audições. A seguir, a banda passaria pelo momento a que tudo aquilo se resumia.

Chamado *Up All Night*, o disco de estreia do One Direction foi um trabalho cuidadosamente selecionado e produzido com brilhantismo. Começa com a já mencionada "What Makes You Beautiful". Em um álbum com diversas surpresas e mudanças de ritmo, o primeiro acontece na segunda música: em contraste com a abertura, "Gotta Be You" é uma balada clássica de boy band. A letra é cheia de arrependimento por uma mágoa que foi causada sem querer. Quem nunca teve o desejo de poder voltar no tempo? Cordas deslumbrantes lhe dão uma característica épica que encanta o ouvinte — não é de se estranhar que tenha sido escolhida como segunda música do álbum.

A terceira música é essencialmente um retorno à atmosfera agitada de pop-rock da primeira. "One Thing" é a parceira natural de "What Makes You Beautiful". De diversas formas, a letra espelha a própria história da banda — quando eles cantam que só precisam de uma coisa, aquela coisa que a garota da música possui, poderiam estar falando de si mesmos, pois eles têm aquela coisa indefinível da qual Simon Cowell e a indústria da música precisam. "More Than This", a canção mais lenta e suave do disco, traz vocais incríveis em falsete, que mostram a abrangência da banda e acrescentam uma verdadeira profundidade à experiência. Essa canção também se destaca por um belo solo de Louis, cuja performance é uma clara resposta às criticas on-line do ano anterior.

A quinta música é a que dá nome ao disco: "Up All Night", e é um chamado à geração festeira. "I Wish" tem um ritmo moderado muito ao estilo "faixa para completar o disco" — não há nada de errado com ela, mas a música não se destaca para o ouvinte —, enquanto "Tell Me a Lie" não poderia ser mais norte-americana: se alguma música do disco foi feita para ser ouvida com a capota abaixada em uma autoestrada dos Estados Unidos, é essa. Sua sucessora, "Taken", é, em contraste, para ser cantada em volta de uma fogueira, com acompanhamento de violão. Diz-se que a voz de Harry nunca esteve melhor do que nessa música, na qual os garotos se mostram provocadores, não apaixonados: "Quem você pensa que é?", perguntam eles, com um toque de hostilidade na voz.

Se a canção seguinte ("I Want") lembra ao ouvinte o material do meio da carreira do McFly, é por uma boa razão, já que ela foi escrita pelo principal letrista deles, Tom Fletcher. Apesar de ter feito alguns comentários desagradáveis sobre o One Direction quando a banda surgiu, Fletcher rapidamente percebeu seu potencial comercial e lhes entregou alegremente essa canção.

"Everything About You" tem um som pop muito mais eletrônico e convencional. Uma letra forte a destaca do grupo, mais uma vez enfatizando a atenção que foi dada ao disco inteiro.

"Same Mistakes" é uma balada fluida e doce, com a trilha de fundo suntuosa que aprimora os vocais. Com a penúltima canção, a banda diz que quer salvar uma garota de seu destino atual. Como tal, "Save You Tonight" é uma música que poderia tranquilamente ser cantada pelo JLS ou pelo The Wanted, e causa várias reações. Poucas fãs conseguiriam resistir a ser salvas por esses garotos. Por um momento, quando começa a última música, o ouvinte se pergunta se está ouvindo um cover de "Dynamite", de Taio Cruz. Então, durante a ponte, a música momentaneamente relembra "Only Girl (in the World)", de Rihanna. Um hino impressionante fechando um disco impressionante.

Para tornar o disco o melhor possível, a banda trabalhou com grandes nomes, como Wayne Hector, o homem que escreveu o megassucesso do Westlife, "Flying Without Wings". Outro foi Steve Robson, que já trabalhara com James Morrison e com o Busted. Talvez os dois parceiros mais empolgantes para os garotos tenham sido RedOne, que tinha coproduzido vários sucessos de Lady Gaga, e Ed Sheeran, o famoso cantor e letrista ruivo.

"Poder escrever e gravar com Ed Sheeran no nosso disco foi uma honra", disse Niall. Harry concordou, comentando que as pessoas com quem trabalharam no disco eram "lendárias". Liam, por sua vez, adorou trabalhar com a "máquina de sucessos" Claude Kelly, o homem por trás de "Grenade". Eles gravaram tanto no Reino Unido quanto nos Estados Unidos, e, ao todo, foram 22 letristas envolvidos nas músicas. Além de tudo isso, os próprios integrantes da banda têm créditos como coescritores em três das faixas do álbum.

O disco estreou em segundo lugar nas paradas do Reino Unido. Isso já era impressionante por si só — e as coisas se tornaram ainda mais impressionantes quando o *Up All Night* se tornou o álbum de lançamento com vendas mais rápidas das paradas britânicas em 2011. Também ficou entre os dez mais vendidos em outros países, como Suécia, Irlanda, Países Baixos, Nova Zelândia e Austrália (o lançamento estava programado nos Estados Unidos para março de 2012). Gordon Smart, o rosto da indústria do entretenimento do jornal *The Sun*, declarou: "*Up All Night* será adorado pela jovem base de fãs da banda", e elogiou o disco por sua mistura de sons e estilos. A revista *Cosmopolitan* achou o álbum cheio de "músicas empolgantes que são simplesmente impossíveis de não gostar"; o jornal *The Independent* declarou que com certeza o álbum ia vender "zilhões de cópias"; enquanto o *Daily Star* disse que era cheio de "alegres hinos pop".

Depois do lançamento do disco, o One Direction pegou a estrada para sua primeira turnê. Começando no meio de dezembro em Watford, eles se apresentaram em cidades do Reino Unido e da Irlanda em shows cujos ingressos se esgotavam minutos depois de serem postos à venda. Além de cantar as músicas do disco e a lado-B "Na, Na, Na", também fizeram alguns covers. Entre eles estavam "I Gotta Feeling", do Black Eyed Peas; "Valerie", da banda The Zutons e Amy Winehouse; e "Use Somebody", do Kings of Leon. Também havia guerras de "bolas de neve" com as bolas de neve de plástico que caíam do alto em um ponto do show, seguidas por serpentinas prateadas. Com Niall tocando seu violão em algumas partes e a banda divertindo com muita conversa entre as músicas, os shows se tornavam eventos incríveis. Claro, o outro ingrediente da experiência eram os gritos das fãs sortudas o bastante para conseguir ingressos. Mesmo pessoas que já tinham ido a muitos shows e a equipe dos lugares nos quais eles se apresentavam ficavam perplexos pelo volume do barulho. O único lado negativo da turnê foi quando um carro bateu no ônibus da banda no começo de janeiro. Embora três dos integrantes que estavam dentro do ônibus na hora tenham sofrido dores na cabeça e no pescoço, além do choque, não houve ferimentos graves.

9 O SONHO AMERICANO

Tendo sido formada em 2010 e lançado um single e um disco em 2011, o One Direction queria crescer ainda mais em 2012. Desde tempos antigos, algumas pessoas acreditam que o ano de 2012 prenuncia o fim do mundo, mas o One Direction queria que ele fosse o começo de uma vida totalmente nova. A possibilidade de se tornar um sucesso relâmpago que desapareceria tão rapidamente quanto tinha surgido assombrava todos os integrantes da banda. Eles queriam continuar na indústria da música por muito tempo e tornar seu sucesso um assunto verdadeiramente global. Eles nem sequer estavam satisfeitos em meramente repetir o sucesso e a diversão de 2011 — queriam que fosse cada vez maior e melhor. Diante deles estavam diversas oportunidades importantes para fazer exatamente isso. Começando com uma ida à noite de premiação musical mais importante da Grã-Bretanha: o BRIT Awards.

Realizada na O2 Arena no mês de fevereiro, o BRIT Awards 2012 foi apresentado pelo velho amigo de Louis, James Corden. Acabou sendo uma noite de altos e baixos para a banda. Um dos baixos os incomodaria por meses. Mas primeiro vieram os altos. Eles foram indicados na categoria de Melhor Single Britânico. Como muitas bandas de sucesso jamais ganham um BRIT durante a carreira, o fato de que o One Direction já estava a ponto de ganhar um era cheio de significado. Para essa categoria, o voto do público decidiria o resultado. Foram os ouvintes da estação de rádio Capital FM que tinham votado, mas na empolgação de ganhar o prêmio, Harry agradeceu aos ouvintes da Radio One por acidente.

A animação dos garotos quando foram anunciados vencedores era palpável. No palco para entregar o prêmio a eles estava o astro do pop Tinie Tempah. "Uau!", disse Louis. "Nem acreditamos que estamos aqui." Então, ele acrescentou: "Este prêmio é para as fãs." Harry falou logo em seguida. Depois de ecoar o agradecimento de Louis às fãs, ele acrescentou: "E um agradecimento enorme à Radio One." Consciente dos enormes danos que isso poderia causar às chances do One Direction tocar na Capital, a empresa de relações públicas da banda fez uma declaração imediata no Twitter. "O One Direction se esqueceu de agradecer aos ouvintes da Capital FM na noite passada quando estava recebendo seu BRIT Award por 'Melhor Single Britânico'", dizia a declaração. "Foi um descuido, porque os garotos foram surpreendidos pela empolgação de vencer. A banda gostaria de aproveitar esta oportunidade para agradecer à Capital FM e a todos os seus ouvintes pelo apoio e pelos votos."

Embora Harry estivesse chateado consigo mesmo por causa desse erro, ele e seus companheiros de banda tentaram não deixar que aquilo os impedisse de comemorar com estilo. Mais tarde naquela noite eles pareciam bêbados. Durante uma entrevista, Niall estava com o rosto vermelho e Harry com a fala enrolada. Quando reapareceram para uma entrevista mais tarde, Harry não disse nada, simplesmente apontou para a câmera de um jeito bastante vago. Quando perguntaram como iam dividir o troféu, eles brincaram que ou iam quebrar em cinco pedaços ou tirar fotocópias. Mais tarde, Harry finalmente admitiu que tinha feito o tal comentário obsceno. Com o fato de ter comemorado a sério talvez contribuindo para seu ânimo sincero, ele tuitou: "Eu admito... eu disse mesmo 'Imagine quantas gatas você vai pegar.' Me desculpem." Houve algumas dores de cabeça na manhã seguinte quando eles analisaram aquela noite agitada.

Durante sua parte do discurso de agradecimento, Liam tinha mencionado que eles estavam para anunciar uma turnê. E foi exatamente o que a banda fez, revelando diversas datas, começando na O2 Arena, em Londres, no dia 22 de fevereiro de 2013. Os ingressos para as 15 datas se esgotaram em questão de minutos após começarem a ser vendidos. Uma lista de vinte novos shows foi rapidamente adicionada, incluindo matinês em Londres, Cardiff, Manchester e Birmingham. A velocidade com a qual os ingressos das maiores arenas britânicas esgotavam era inacreditável: com base nisso, os garotos do One Direction eram os reis da cena pop do Reino Unido.

Se fevereiro de 2012 tinha sido divertido, março seria magnífico. Eles invadiram o importante (e quase impossível de entrar) mercado norte-americano. Quando se observa a lista de artistas britânicos e irlandeses importantes que falharam em repetir seu sucesso naquele país, percebe-se o tamanho do desafio. Entre os que tinham fracassado estavam o Westlife, Robbie Williams e Oasis. O Busted, então uma das maiores bandas pop britânicas e um grande sucesso no Japão, fez até um documentário na MTV, *America Or Busted*, baseado em seu fracasso na América do Norte. Com bandas que tinham dominado as paradas britânicas durante anos fracassando nos Estados Unidos, quem teria tido esperanças para o One Direction lá?

Entretanto, mais ou menos imediatamente após a chegada deles aos Estados Unidos para a grande tentativa, eles descobriram que tinham um grupo imenso, fanático e barulhento de fãs no continente. Eles se viram cercados em Boston, e quando foram para Toronto, no Canadá, a polícia foi chamada depois que uma multidão gigantesca e irascível cercou o hotel onde estavam. A *Billboard* disse: "Há muitas possibilidades, há muitas coisas positivas, (...) esse nível de talento com esse tipo de aparência (...) é realmente uma situação perfeita para um fenômeno de um sucesso gigantesco." Sabendo como é difícil impressionar a mídia norte-americana, essas eram palavras muito promissoras.

A banda estava achando que, em vez de passar pelo trabalho infrutífero e decepcionante que muitos artistas britânicos encontraram lá, eles iam se divertir muito. Não demorou para a imprensa começar a fazer comparações entre eles e a banda que foi a maior exportação britânica de todos os tempos. Não apenas o One Direction tinha um bloco no *Today*, o maior programa matutino dos Estados Unidos, como estava sendo anunciado no programa como uma banda semelhante aos Beatles. "Agora, às 8h39, com o grupo que algumas pessoas dizem que está inspirando o próximo caso de Beatlemania...", disse o apresentador. "É provável que se você tem uma adolescente ou pré-adolescente em casa, ela já esteja obcecada pelo One Direction." A banda apareceu pontualmente para o *Today Show*, à sombra do icônico Rockefeller Center em Nova York. Eles também foram a outro importante programa de TV norte-americano, o *Saturday Night Live*. Bandas muito bem-sucedidas e estabelecidas que nunca conseguiram ir ao programa puderam apenas assistir com inveja.

"What Makes You Beautiful" estreou nos Estados Unidos em 28º lugar nas paradas — a estreia no lugar mais alto do Hot 100 da *Billboard* em 14 anos. Isso já era empolgante o suficiente, mas notícias ainda melhores estavam para chegar. Imagine a alegria que foi saber que eles tinham se tornado a primeira banda pop do Reino Unido a estrear como número 1 nas paradas de álbuns da *Billboard* norte-americana com *Up All Night*. Eles ficaram perplexos e gratos com as notícias. "Simplesmente não conseguimos acreditar que somos o número 1 nos Estados Unidos", disse Harry. "Isso é mais que um sonho que se torna realidade para nós. Queremos agradecer a cada uma das fãs que compraram nosso disco e também gostaríamos de agradecer ao público americano por nos apoiar tanto." Niall acrescentou: "Como vocês podem imaginar, estamos muito felizes." Seu mentor e tio emprestado, Simon Cowell, estava explodindo de orgulho. "Eu não poderia estar mais feliz pelo One Direction, é uma conquista inacreditável", postou ele em seu Twitter. "Os garotos merecem. Eles têm as melhores fãs do mundo."

Isso não era apenas empolgante para o One Direction e suas fãs, também era um momento de orgulho para a Grã-Bretanha. Eles não eram a única boy band que estava dando o que falar nos Estados Unidos. A banda The Wanted também estava se revelando um sucesso no país: seu single "Glad You Came" ficou em quarto lugar no Hot 100 da *Billboard*. Notícias ainda melhores chegaram quando as fãs americanas do One Direction explicaram que amavam a banda não "apesar" de eles serem britânicos, mas "por causa" disso. "Isso só os torna mais fofos", disse uma delas.

Depois, em sua entrevista à revista *Rolling Stone*, Simon Cowell contextualizou a maneira como eles tinham conseguido essa história de sucesso nos Estados Unidos. Referindo-se às grandes bandas que haviam fracassado no país, ele disse: "Acho que, na maioria dos casos, você acaba com uma sonoridade que está em algum lugar entre a Inglaterra e os Estados Unidos — o que significa que você cai de cara no meio do oceano. Não tem apelo para nenhum dos dois países." O veículo que os conduziu ao sucesso foi, sem dúvida, o das redes sociais. Graças ao Twitter, Facebook e Tumblr, a banda já estava sendo divulgada nos Estados Unidos pela equipe mais entusiasmada possível: as próprias fãs. O sucesso de Justin Bieber, que originalmente foi potencializado pelo YouTube e pelo Twitter, tinha ensinado a todos uma lição: artistas adolescentes podem contornar as rotas promocionais antiquadas. Assim, Cowell podia se dar o luxo de ser otimista. Ele percebeu, quando lançou o *X Factor USA*, em 2011, que as adolescentes já estavam se interessando pela banda. Elas estavam sempre lhe perguntando quando ele levaria o One Direction para os Estados Unidos.

Portanto, Cowell permitiu que esse frenesi crescesse naturalmente. "Em geral, nós assediamos os selos americanos quando achamos que alguma coisa vai dar certo", disse ele à *Rolling Stone*. "Desta vez, dissemos: 'Vamos esperar o telefone tocar e ver quem liga primeiro.'" Eu queria que ouvissem falar sobre o grupo antes, de um jeito atraente, em vez de ficar empurrando a banda para eles.

Embora Cowell acredite que o impacto das redes sociais na indústria seja uma "ótima notícia" e que "para o mercado da música, as redes sociais são maravilhosas", ele não se cansa de enfatizar que o artista precisa ter charme e uma faísca para obter sucesso com esse método de marketing tão moderno. "A banda teve de fazer isso acontecer por si própria", disse ele. "Acho que foi o que o One Direction fez. Nós trabalhamos em parceria, mas sem a contribuição deles, a maneira como se comunicam com as fãs e o tipo de pessoas que são, não teria acontecido da forma como está acontecendo agora."

Um dos funcionários de Cowell concorda: "Às vezes, sentimos que a música é a estrela, mas não é esse o caso — as estrelas são eles", disse Sonny Takhar, diretor administrativo da Syco ao *Guardian*. "É algo verdadeiro", acrescentou Takhar. "As mídias sociais se tornaram o novo rádio, que nunca divulgou um artista globalmente dessa forma." Por quanto tempo as mídias sociais vão exercer esse papel, ainda não se sabe. Por exemplo, enquanto Lily Allen e o Arctic Monkeys usaram o MySpace com muito sucesso para lançar suas carreiras, o tsunami de artistas medíocres que depois invadiram essa rede social com seu próprio material desvalorizou rapidamente o fórum. Como o próprio Cowell admite: "Há centenas de grupos por aí. Nem todo mundo dá certo."

Além dos fatores delineados por Cowell, devemos considerar que o mercado norte-americano estava com uma lacuna enorme para uma boy band. Nunca existiu um verdadeiro substituto para o New Kids on the Block, o Backstreet Boys e o 'N Sync. Até mesmo os Jonas Brothers que, de qualquer maneira, ocupam uma parte levemente diferente do mercado, já tinham chegado ao auge há muito tempo. O One Direction, e sua boy band conterrânea, The Wanted, apareceram na hora certa. O sucesso do One Direction nos Estados Unidos pode ser explicado por uma potente combinação de charme e *timing*: eles surgiram quando um novo método de marketing estava em ascendência e quando o próprio mercado estava desejando artistas como eles. Alguns garotos têm muita sorte.

Entretanto, nem tudo saiu como eles queriam nos Estados Unidos. Logo depois que chegaram, vieram notícias de que uma banda americana, também chamada One Direction, estava planejando um processo contra a banda britânica por causa do uso do nome. O advogado dos norte-americanos, Peter Ross, alegou ao *Hollywood Reporter* que a banda e seus empresários já sabiam havia algum tempo do problema com o nome "Em vez de mudar o nome ou fazer qualquer coisa para criar alguma diferença e evitar prejuízos para nós, eles preferiram seguir em frente e vir com a turnê", disse Ross. "Estamos negociando há um mês para encontrar uma solução. Do nosso ponto de vista, as negociações não estavam sendo muito produtivas."

Mesmo enquanto essa confusão continuava, a banda tinha muito com o que se consolar. Sua popularidade não diminuiu nem um pouco como resultado da controvérsia. Na verdade, até mesmo solidificou o apoio das fãs ao grupo britânico. Deu a todas algo contra o que se unir. No Twitter e em outras redes sociais, a resposta praticamente unânime à batalha foi de apoio à banda britânica. Perguntados na TV australiana se iam mudar de nome, tanto Harry quanto Zayn disseram "não". Então Zayn acrescentou: "Não sabemos [o que vai acontecer], mas não vamos mudar o nome."

Juntamente com essa onda de amor e apoio estava o fato de que os cinco garotos estavam ganhando muito dinheiro com o sucesso. Às vezes, havia uma noção de que mesmo aqueles que constroem uma carreira bem-sucedida a partir do *X Factor* jamais ganham dinheiro. Em vez disso, segundo essa crença, os empresários das carreiras citadas ficam com tudo, deixando uma ninharia para os próprios artistas, que acabam presos a contratos habilmente redigidos para deixá-los apenas com as migalhas. Mas a experiência de artistas como Leona Lewis e Jedward sugere o contrário. Existe uma ideia clara de que ambos ganharam muito dinheiro desde o *X Factor*.

No caso do One Direction, alegava-se que até abril de 2012 cada integrante já tinha conseguido mais de 1 milhão de libras. "Simon Cowell quer que eles saibam a que têm direito. Eles têm feito um sucesso gigantesco, o que conquistaram é fenomenal. Simon acha que eles são as pessoas mais batalhadoras do pop no momento", uma fonte contou à *People*. No mesmo mês, surgiram algumas estatísticas para confirmar esses números. Por exemplo, "What Makes You Beautiful" ganhou disco de platina nos Estados Unidos depois de vender 1.129.852 de cópias nos primeiros meses após o lançamento. Foi um feito notável, qualquer que seja o padrão em que se baseie. Bandas britânicas estabelecidas teriam dificuldade de se sair tão bem na América do Norte. Esse desempenho tão positivo na estreia era algo praticamente sem precedentes.

Enquanto isso, eles estavam em turnê pela Austrália e Nova Zelândia. Essas viagens foram experiências incríveis para os garotos, sobretudo para Zayn, que nunca tinha saído da Inglaterra até entrar no *X Factor*. Quando eles apareceram na televisão australiana, centenas de fãs reuniram-se do lado de fora do estúdio e declararam aos gritos seu amor pela banda. "Que loucura, isso é absolutamente incrível, não conseguimos acreditar", disse Liam, quando ele e seus companheiros de banda viram as cenas. A histeria era chocante, e a polícia teve de trabalhar muito para manter a ordem. Uma fã disse que estaria disposta a ser atingida por uma arma de efeito paralisante para chegar perto de seus ídolos. "Faço qualquer coisa para vê-los, tomaria até um choque para isso", disse ela. A banda causou um impacto tão grande na Austrália que, quando os ingressos para os 18 shows que acontecerão lá em setembro de 2013 foram postos à venda, todos os 190 mil foram instantaneamente arrematados.

10 O PREÇO DA FAMA

Em uma entrevista nos Estados Unidos, Liam falou sobre o preço da fama — especialmente uma fama que chegou tão rapidamente quanto a dele. "Está acontecendo tão rápido que é difícil absorver tudo", disse ele. "Às vezes, só quando estou sozinho é que penso em tudo o que aconteceu. Em alguns momentos, acho que gostaria muito de ir para casa. Existe uma parte de mim que, às vezes, quer voltar para Wolverhampton e simplesmente relaxar, curtir a vida, ser normal de novo. Acho que é um beco sem saída." Devido ao treinamento para a mídia pelo qual cada integrante da banda passou, esse foi um momento surpreendentemente sincero de Liam. Suas palavras refletiram a consciência de cada um dos membros do grupo de que a carga de trabalho implacável, o escrutínio insaciável e a evidente pressão que enfrentavam como celebridades, às vezes, podia ser demais. Liam, que namora a dançarina Danielle Peazer, sabia que, em meio ao escrutínio que a banda enfrentava, estava uma atenção à vida amorosa de cada um deles. Nunca seria diferente, especialmente para uma banda cujo apelo era em grande parte baseado na aparência.

Tinha sido assim desde a formação da banda. Mesmo durante a edição do *X Factor*, houve rumores de que Zayn estava saindo com Geneva Lane, integrante da girl banda Belle Amie. A especulação virou uma febre quando ele foi visto beijando-a nos bastidores durante a final do programa. Ele foi visto de mãos dadas com Lane, que é três anos mais velha que ele, quando deixaram o estúdio. Para a imprensa, as fotografias provavam que os boatos eram verdadeiros. Mas Zayn tinha novidades para eles. Ele escreveu no Twitter: "Olá para as fãs, só queria dizer para não acreditar no que está sendo publicado. Somos só amigos, foi um beijo amistoso."

A foto causou ainda mais confusão porque, aparentemente, Lane tinha confirmado mais cedo no Twitter que havia um relacionamento entre ela e Zayn. "A gente tem uma coisa", disse ela em uma conversa com uma amiga. Sua conexão com Zayn, seja qual tenha sido sua natureza e importância, significou que ela tinha virado alvo de fãs, que passaram a vê-la como uma útil "infiltrada" entre elas e a banda. Ela foi bombardeada com pedidos para passar mensagens à banda, incluindo solicitações de que arranjasse o desejado "seguir" no Twitter. "Sabe, acho meio desrespeitoso que algumas pessoas aqui me considerem uma assistente pessoal do One Direction", escreveu ela.

Lane não foi a única finalista do *X Factor* a quem Zayn esteve ligado. Também falou-se que ele havia saído com a segunda colocada, Rebecca Ferguson — e, dessa vez, os rumores foram confirmados. "Estou apaixonada e é um sentimento incrível", disse Ferguson em uma entrevista à revista *Reveal*. "Nunca me senti assim antes. Demorou algum tempo até que conseguíssemos olhar um para o outro sob uma luz diferente. Não houve um momento em particular, só evoluiu com o tempo. Mas ele tomou todas as iniciativas." Diversas fontes tinham declarado que fora Zayn a força motriz que tinha levado o casal a ficar junto. Ele foi descrito por uma delas como "muito persuasivo" no quesito mulheres.

Entretanto, o relacionamento mais notório envolvendo um integrante do One Direction foi, evidentemente, o de Harry com a apresentadora do *Xtra Factor*, Caroline Flack. A história acabou se revelando sensacional desde o começo: o competidor adolescente do *X Factor* em um flerte com uma apresentadora na faixa dos 30! Ele postou um cartaz que dizia: "Para Flackster! Nunca se é velho ou velha demais... Vamos fazer acontecer!! Com muito amor, Harry S." Relatos sugeriram que, de fato, eles logo fizeram acontecer: o caso começou quando ele a descreveu como "deslumbrante" e depois foi visto ficando com ela em uma festa após um show. Flack logo descobriu que qualquer mulher — especialmente uma mais velha — que estivesse ligada a um integrante da banda não demoraria a enfrentar uma violência enorme na internet. No caso dela, isso incluía ser bombardeada com ameaças de morte todas as vezes que a mídia descobria algum detalhe sobre o romance.

Rebecca Ferguson já tinha reclamado sobre os "maus-tratos" de "meninas de 12 anos" durante seu relacionamento com Zayn. Parecia que Flack enfrentaria uma revolta ainda mais furiosa, incluindo o Twitter. Quando se cansou da enxurrada de ameaças e agressões que estava enfrentando, mandou uma mensagem de resposta. "Olá, fãs do One Direction! Para esclarecer. Sou amiga íntima do Harry... Ele é uma das pessoas mais legais que conheço... Eu não mereço ameaças de morte. :) Bjs." Relatos sugerem que a mãe de Harry também não ficou muito contente e queria que Flack "tirasse as mãos do filho".

Por causa das demandas agitadas das carreiras de ambas as partes e do enorme escrutínio que enfrentaram como casal, não foi muito surpreendente quando eles anunciaram a separação. Dizem que foi Harry que pediu um tempo no relacionamento, mas atento ao possível dano de ser visto como um destruidor de corações podia causar a sua imagem, ele fez uma rara declaração no Twitter: "Por favor, saibam que eu não 'dispensei' Caroline. Foi uma decisão mútua. Ela é uma das pessoas mais generosas e legais que conheço. Por favor, respeitem isso."

Quando as coisas se acalmaram, Flack finalmente falou com mais sinceridade sobre o que eles tinham passado. Mas mesmo então, foi muito discreta. "Harry é adorável, é uma ótima pessoa", disse ela ao *Mail on Sunday*. Ela falou que, apesar do término, eles continuavam amigos. "Acima de tudo, somos amigos. Ficamos muito próximos durante algum tempo, mas isso é entre mim e Harry. O que aconteceu fica entre nós, depois decidimos que era melhor sermos apenas amigos."

Mesmo assim, o relacionamento se tornou uma das maiores sagas de celebridades dos últimos anos e gerou diversas reações. Flack foi simultaneamente elogiada por arrebatar um belo jovem e criticada por não ser muito melhor que uma pedófila, enquanto Harry enfrentou reações similarmente contraditórias. Ele logo ganhou a reputação de garoto que gosta de mulheres mais velhas. Harry fez muito pouco para dissipar essa percepção quando subsequentemente insinuou que tinha uma queda pela socialite Kim Kardashian, também na faixa dos 30. Durante uma entrevista nos Estados Unidos, ele segurou um pôster da curvilínea celebridade, e grudado nele havia um post-it no qual ele tinha escrito: "Me liga... pode ser?" Então, durante uma entrevista na televisão, Zayn implicou com Harry sobre essa suposta predileção. "Ele gosta de mulheres mais velhas", disse Zayn, para o desconforto de Harry. "Qual é mesmo sua regra? Qualquer uma mais nova que..." Foi então que Harry se intrometeu para impedir Zayn de continuar. Seu humor em relação ao assunto está se esgotando.

Infelizmente, a memória mais marcante de qualquer relacionamento que um integrante do One Direction tivesse com um membro do sexo frágil era o assédio que o acompanhava para ambas as partes, particularmente para elas A dedicação das fãs à banda era tão intensa que uma barulhenta minoria delas estava disposta e — graças aos modernos tempos on-line — era plenamente capaz de tornar a vida de qualquer garota que se aproximasse dos meninos um inferno. A namorada de Liam, Danielle, tem recebido algumas mensagens desagradáveis. Até mesmo Hannah Walker, uma linda loura que estava saindo com Louis antes que ele se tornasse famoso, foi cruelmente atacada no Twitter.

É um problema sempre latente, mas que, ocasionalmente, entra em ignição, tornando-se algo mais violento. Por exemplo, em abril de 2012, Anna Crotti, de 20 anos, disse que tinha sido "coagida" na internet a cancelar um encontro com Zayn. Ela o tinha conhecido durante a visita da banda à Austrália. "Um segurança veio até mim. Pensei que estava encrencada, mas ele disse: 'Os garotos querem seu telefone'", disse ela à MTV. "Mais tarde, recebi uma mensagem dizendo 'Oi'. Perguntei quem era, e era Zayn." Logo se espalhou a fofoca de que ela estava conversando com Zayn, e foi quando os problemas começaram.

"No final do dia, a coisa ficou meio assustadora demais", disse ela. "Garotas desconhecidas estavam me atacando no Facebook. Outras estavam ligando para a estação de rádio e me atormentando. Até mesmo mães telefonaram, chorando, exigindo que eu dissesse onde o One Direction estava, porque suas filhas queriam encontrá-los. Eu não queria nem andar até em casa. Foi muito intenso. Mandei uma mensagem para o Zayn e disse: 'Talvez não seja uma boa ideia nos encontrarmos.' Foi um pouco demais."

Durante a mesma viagem, especulações renovadas estavam rodeando a vida amorosa de Harry. Enquanto eles estavam na Nova Zelândia, supostamente ele começou a namorar a modelo americana Emma Ostilly. Disseram que ele a tinha levado para sair e a beijado na porta de sua casa. "Eles realmente pareceram ter uma conexão, e só tinham olhos um para o outro", um observador (supostamente) declarou. Esse vocabulário suspeitosamente familiar — usado em infinitas citações de "fontes" desconhecidas — colocou em dúvida a veracidade daquilo. Quando Harry explicou que ela era apenas "uma amiga", Liam apoiou seu companheiro de banda, dizendo: "Ela também não é namorada dele." Isso não bastou para salvá-la da malevolência de algumas fãs, o que a levou a deletar sua conta no Twitter depois de se cansar do assédio.

Os integrantes da banda ficavam cada vez mais frustrados por ver o que as garotas com quem se relacionavam tinham de aguentar. Era uma posição bizarra: milhões de garotas do mundo todo estavam desesperadas para se jogar em cima deles, mas isso acabava tornando-os estranhamente difíceis de namorar. Seria natural a banda se perguntar se as "fãs" que bombardeavam suas namoradas com agressões virtuais realmente mereciam ser chamadas assim. Mais para o final de abril, Louis demonstrou que sua paciência estava se esgotando quando confrontou as fãs no Twitter. Ele descobriu que sob a hashtag de "Louannah" — um apelido usado durante seu relacionamento com Hannah Walker — fãs tinham tuitado fotos dele com Walker para sua então namorada Eleanor Calder. Ele ficou furioso e foi para o Twitter dizer o que pensava. Em uma explosão pouco característica, escreveu: "A verdade é que não é nem um pouco engraçado. Estou lendo alguns tuítes horríveis e me sentindo muito put*!" Ele também mandou uma mensagem diretamente para Calder, tranquilizando-a quanto a seus sentimentos: "Amo VOCÊ! Beijos", e depois acrescentou: "Eu não poderia estar mais feliz agora, então deixe para lá. :) Obrigadoooooo bjs." Ele sabia que suas fãs veriam a mensagem, de forma que esta foi parcialmente endereçada a elas.

Enquanto isso, Hannah Walker, uma assistente de ensino do primário, que tinha se afastado dos refletores desde o término com Louis, foi arrastada de volta à rixa. Ela contou ao *Daily Mail* que se sentia constrangida pela confusão e que tinha se dado o trabalho de entrar em contato com Eleanor Calder e lhe dizer que não tinha nada a ver com aquilo. Quanto a seu famoso ex-namorado, ela disse: "Quando o vejo na TV hoje em dia, vejo duas pessoas diferentes — um é o garoto de Doncaster e o outro é o Louis do One Direction." Ela só queria que Louis fosse feliz, e é possível dizer que a maioria das fãs do One Direction pensa exatamente a mesma coisa.

Vale a pena refletir sobre a experiência de outras boy bands para entender como o One Direction se comporta no que diz respeito a seus relacionamentos com as mulheres. No passado, os integrantes dessas bandas normalmente eram proibidos pelos empresários de namorar, ou pelo menos de admitir isso publicamente. O Take That, por exemplo, recebeu ordens da equipe de agenciamento de não ter namoradas, pois temia-se que perdessem o apelo para as fãs se não fossem vistos como romanticamente "disponíveis". Para o One Direction, logo no começo decidiu-se que uma atitude diferente seria tomada. Eles poderiam ter namoradas e admitir isso em público. Em uma das primeiras reuniões com seus agentes, os garotos foram até encorajados a sair com mulheres um pouco mais velhas, pois talvez o término fosse menos prejudicial dessa forma.

A atitude diferente com a imagem do One Direction diz respeito a todos os aspectos da banda. "Estamos tentando fazer algo diferente do que as pessoas esperariam de uma boy band típica", disse Niall ao *National Post*, do Canadá. "Estamos tentando fazer tipos de música diferentes e ser nós mesmos, não bons moços." Com o tempo, esse frenesi que cerca as moças que qualquer integrante da banda está namorando deve diminuir; quando as verdadeiras fãs — que só querem o bem dos garotos — se fizerem ouvir acima da algazarra, a vida vai melhorar para todos os envolvidos.

Não nos esqueçamos de que as fãs do One Direction são um grupo adorável e amoroso. Muitas vezes, elas usaram o Twitter para dar apoio. A frustração dos integrantes da banda por causa dos problemas com as namoradas foi colocada em perspectiva pelas notícias de que a tia de Zayn tinha morrido em fevereiro de 2012. Isso aconteceu enquanto a banda estava nos Estados Unidos. Um voo foi rapidamente reservado para que ele pudesse correr para casa e ficar com a família. A notícia foi dada por Harry no Twitter: "Zayn sofreu uma perda na família e teve de ir para casa por alguns dias, então não vai estar em nossos próximos shows nos Estados

Unidos", escreveu ele. "Nossos pensamentos estão com ele e com sua família neste momento triste."

As fãs ficaram tristes ao pensar em seu ídolo sofrendo — especialmente depois da morte de seu avô durante os shows ao vivo do *X Factor*. Eles começaram um hashtag tributo para Zayn e sua família, fazendo o "#StayStrongZayn" ["#AguenteFirmeZayn"] se tornar Trending Topic na rede social. A primeira interação do próprio Zayn depois de sua perda foi para retuitar uma mensagem de outro usuário. Dizia: "Deus não tem telefone, mas eu converso com ele. Ele não tem Facebook, mas mesmo assim é meu amigo. Ele não tem Twitter, mas mesmo assim eu o sigo." Essa história reflete as verdadeiras fãs do One Direction, que vão permanecer com a banda no futuro. Tendo apoiado o grupo desde o começo, as fãs sabem que tiveram — e ainda têm — um papel a desempenhar nessa incrível história.

• • •

Então, o que o futuro reserva para o One Direction? "No verão, vamos voltar ao estúdio e começar um novo disco", disse Niall, em março de 2012. "Queremos lançar um disco praticamente a cada ano ou a cada ano e meio", acrescentou ele. O trabalho preliminar do segundo disco já está em andamento, disse ele, explicando que tem havido "reuniões e coisas assim com diferentes letristas e produtores". Os primeiros relatos sugerem que a banda está pensando em um som mais pesado para o segundo álbum. Como mais de um dos garotos é fã de bandas de rock norte-americano como Green Day e Jack's Mannequin, eles querem incluir um pouco dessa sonoridade no próprio material. "Queremos levar o próximo disco a uma zona diferente — mais guitarras e mais grunge", disse Louis ao *Daily Star*.

É essencial que as ideias, os desejos e os pensamentos dos integrantes sempre estejam no centro do desenvolvimento da banda. Os garotos não querem ser fantoches do pop, e nem suas fãs apoiariam isso. São cinco rapazes com verdadeiras faíscas criativas. Eles também são cinco garotos bondosos e decentes que merecem ser respeitados. Certa vez, perguntaram a Simon Cowell como ele se certificaria de que a banda ia manter o sucesso em vez de perder rapidamente o interesse da sempre volúvel indústria do pop. Sua filosofia foi simples: "Ser sensível e tratá-los como seres humanos, genuinamente. Isso é o mais importante."

BIBLIOGRAFIA

BLAIR, Linda. *Birth Order*. Londres: Piatkus Books, 2011

NEWKEY-BURDEN, Chas. *Simon Cowell: The Unauthorized Biography*. Londres: Michael O'Mara Books, 2009

OLIVER, Sarah. *One Direction A-Z*. Londres: John Blake Publishing, 2011

ONE DIRECTION. *One Direction: Dare to Dream: Life as One Direction*. Londres: HarperCollins, 2011

ONE DIRECTION. *1D: Forever Young*. Londres: HarperCollins, 2011

PARAMOR, Jordan. *The X Factor: Access All Areas*. Londres, Headline, 2007

CRÉDITOS DAS FOTOS

PÁGINA 1: Beretta/Sims/Rex Features (todas)

PÁGINA 2: Beretta/Sims/Rex Features (ambas)

PÁGINA 3: NTI Media Ltd/Rex Features (acima); Danny Martindale/FilmMagic/Getty Images (abaixo)

PÁGINA 4: McPix Ltd/Rex Features (ambas)

PÁGINA 5: Beretta/Sims/Rex Features (acima); McPix Ltd/Rex Features (abaixo)

PÁGINA 6: Rex Features (acima); David Fisher/Rex Features (abaixo)

PÁGINA 7: Ian Gavan/Getty Images (acima); Ian West/PA Archive/Press Association Images (abaixo)

PÁGINA 8: McPix Ltd/Rex Features (acima); Eamonn McCormack/WireImage/Getty Images (abaixo)

PÁGINA 9: Fred Duval/FilmMagic/Getty Images

PÁGINA 10: Dave Hogan/Getty Images (acima); Jon Furniss/WireImage/Getty Images (abaixo)

PÁGINA 11: Jason Sheldon/Rex Features

PÁGINA 12: John Marshall/AP/Press Association Images (acima e centro); David Fisher/Rex Features (abaixo)

PÁGINA 13: Kevork Djansezian/Getty Images (acima); Andrew H Walker/Getty Images (abaixo)

PÁGINA 14: © Splash News/Corbis (acima); Newspix/Nathan Richter/Rex Features (abaixo)

PÁGINA 15: © Splash News/Corbis (todas)

PÁGINA 16: Newspix/Rex Features (acima); AGF s.r.l./Rex Features (abaixo)

www.record.com.br

www.facebook.com/BiografiaOneDirection

Este livro foi composto na tipologia Minion Pro,
em corpo 13,5/19,2 e impresso em papel off-set 90 g/m²
no Sistema Cameron da Divisão Gráfica
para a Distribuidora Record